dirigée par
Gilbert La Rocque

Claire de Lamirande

LA ROSE DES TEMPS

roman

QUÉBEC/AMÉRIQUE

450 est, rue Sherbrooke, Suite 390
Montréal, Québec H2L 1J8
Tél.: (514) 288-2371

© 1984 ÉDITIONS QUÉBEC/AMÉRIQUE
DÉPÔT LÉGAL:
4e TRIMESTRE 1984
BIBLIOTHÈQUE NATIONALE DU QUÉBEC
ISBN 2-89037-211-1

Du même auteur

Aldébaran ou la fleur, Éditions du Jour, 1968.
Le Grand Élixir, Éditions du Jour, 1969.
La Baguette magique, Éditions du Jour, 1971.
Jeu de clefs, Éditions du Jour, 1974.
La Pièce montée, Éditions du Jour, 1975.
Signé de biais, Éditions Quinze, 1976.
L'Opération fabuleuse, Éditions Quinze, 1978.
Papineau ou l'épée à double tranchant, Éditions Quinze, 1980.
L'Occulteur, Éditions Québec/Amérique, 1982.

Réédition :

Le Grand Élixir, Éditions Quinze, 1980.

UNE PREMIÈRE À MONTRÉAL

En 1967, Montréal a été le théâtre d'une première mondiale. Une première humaine peut-être. Des millions de personnes l'ont sentie sans pouvoir l'identifier. L'évolution procède par bourrées et, sur le coup, on n'arrive pas à préciser ce qui s'est vraiment produit.

C'est plus tard. On se met à savoir que le centre du monde se déplace de temps en temps. On se met à savoir qu'on était en plein cœur un certain jour de 1967.

Charles Riverin, conseiller personnel du maire Oliphant, avait senti ce coup de l'évolution plus intensément que personne d'autre. Il avait monté un dossier qui, avec les années, avait pris des proportions monstrueuses. Curieusement, il avait intitulé ce dossier plus ou moins secret : « L'assassinat de de Gaulle et d'Oliphant. » Ils n'ont pas été assassinés, ni l'un ni l'autre, en 1967 ? Normalement, ils auraient dû l'être. Maître Riverin savait qu'ils n'avaient aucune chance d'y échapper. Qu'était-il arrivé au juste ce jour-là ?

Le dossier ne ressemblait pas à celui qui l'avait monté. Charles Riverin, calligraphe méticuleux, considérait avec étonnement ce qu'était devenu le dossier en question : un échafaudage monstrueux, indéfinissable.

À ceux qui avaient connaissance de cette recherche et qui le poussaient à la définir de quelque façon, il répondait que cette définition ne comportait aucun nom pour le moment. Rien que des adjectifs : la recherche était écrasante, aveuglante, assourdissante, obnubilante mais indubitable. Comment douter d'une chose qui lui prenait depuis douze ans le meilleur de son temps, le plus clair et le plus obscur de sa pensée ?

La vérité était là : dans le dossier, et il ne la voyait pas. Trop grosse ! C'est ce qu'il en était arrivé à s'avouer. La fourmi voit-elle le pouce qui l'écrase ?

Un besoin lui était venu de prendre du recul. S'en aller en Europe. Se recycler en droit international ou en économie. Qu'importe le prétexte.

Mais en même temps que cette idée d'année sabbatique, lui était venu le besoin de confier le monstre à quelqu'un de sûr. Pas tellement parce qu'il voulait avoir son opinion. Surtout parce qu'il voulait se voir en train d'étudier le dossier.

Et si cette personne interposée allait trouver la vérité qu'il cherchait, lui, depuis douze ans ! Tant mieux. Il en était rendu là. La vanité d'être le premier à comprendre ne tenait pas, ne tenait plus. Le besoin de savoir ce qui s'était passé lors de la visite de de Gaulle à Montréal en 1967 était devenu si obsédant qu'il ne pensait plus à toutes les heures qu'il avait passées à monter le dossier. Il ne pensait plus qu'à la révélation toute prête à éclater. À la pression maximale à laquelle en étaient arrivées les vapeurs saturantes de l'affaire.

Lassonde ! L'ami de ses années studieuses. Le mot l'avait fait sourire. Comme ça : tout seul. Combien d'années sans le voir ? Difficile à dire. Des gens lui ont dit : Lassonde est en instance de divorce. Lassonde est en transes. Comme un médium ! Si Lassonde acceptait de prendre le dossier sur lui !

1

MÉLUSINE A UN DON
INDUBITABLE

Rage d'aimer, rage de vivre, rage de peindre. Elle s'était arrêtée. Ce qui ressortait de tout ça, c'était plus la rage que la vie, l'amour ou l'art.

Assise au milieu de son bout de trottoir, elle tentait de vendre des toiles sans conséquence aux gens qui passaient, de plus en plus indifférents à mesure que le temps se couvrait, que noircissaient les nuages au-dessus de la croix de la place Ville-Marie.

Le météorologue n'avait pas prédit de pluie : du vent, des périodes nuageuses. Rien de sérieux. L'indifférence des touristes, des Montréalais, des congressistes de toutes sortes, lui faisait un regard vitreux. On n'est pas commerçante !

Elle s'était dit qu'à midi juste, elle sortirait ses monstres. Ses paysages du vieux Montréal empilés sous la table, elle sortirait les autres.

Elle a commencé à sortir ces acryliques voyantes et à les poser sur les chevalets. Toutes de même dimension.

Une vingtaine de monstres de la même famille. Elle en a apporté quarante, mais elle hésite à les sortir tous en même temps.

Se rasseoir sur la chaise pliante, faire semblant de fouiller dans la bourse de cuir noir cousue à sa ceinture.

Sentir les gens ralentir, sentir le flot indifférent se prendre dans la digue construite par des castors pleins d'humour. Ne pas les regarder de face encore. Par en dessous d'abord. De biais. Faire semblant de placer quelque chose sous la table. Entendre des mots, des bruits, des choses. Ne pas répondre aux questions pressées. Laisser au temps le temps de jouer.

Vous en vendez ? Le sourire incrédule, le rire qui ressemble à un fou rire. Le rassemblement et les exclamations. Vous les vendez combien ? Ça dépend. Ça dépend de quoi ? Ça dépend duquel. Ils sont tous de la même grandeur. Ça dépend de quoi ?

Mélusine ne répond plus. Ce qu'elle fait, c'est une expérience. Elle a décidé qu'elle avait assez d'argent pour vivre une semaine et qu'elle ne vendrait plus rien. Une femme s'est arrêtée. Une femme convenable. L'air d'une enseignante ou d'une secrétaire d'institution médicale. Mélusine a repris ses yeux vitreux. Mélusine : c'est la signature sous les monstres, sous les paysages. En rouge toujours. Un nom de pinceau.

Vous en vendez ? Des horreurs, rien que des horreurs. Je serais curieuse de savoir qui achète ça. Vous avez une obsession pour les yeux. Celui-là en a au moins mille. Il en a partout. Quelle horreur ! Et l'autre en bas : rien qu'un œil vert mousse à grandeur de tête. Qui peut avoir envie d'acheter une pareille horreur ? Qui peut avoir envie d'apporter ça dans son appartement ?

Mélusine a pris sa tablette et s'est mise à faire le portrait de la secrétaire : la caricature rapide de la secrétaire. Un seul œil, un seul nez, un seul cheveu enroulé en spirale autour du cou.

D'autres passants ont ralenti. Ça accroche l'œil, vos affaires ! Mélusine a copié le monstre à l'œil vert mousse à gauche de la caricature de la secrétaire : au pastel : trois couleurs de pastels.

Les passants ont reconnu la secrétaire. Tu es spécialisée dans les monstres on dirait ? Un rire de gorge : affreux. La secrétaire s'est reconnue, elle aussi. Une gêne, une révolte, une indignation. Pas le droit ! Arrêtez ça. Pas le droit. Elle a arraché la feuille et respire à toute vitesse.

L'autre prend la défense de Mélusine. Si tu le prends, tu le paies. Donne-lui son prix ou redonne-lui son dessin.

Mélusine dessine l'autre qui prend sa défense. Une grande gueule et au fond de la gueule l'œil méchant de la secrétaire. Il se reconnaît. Mais non ! Comment peux-tu penser que c'est toi. C'est celui qui est passé tantôt. Mais il s'est reconnu à la forme du crâne : le haut beaucoup trop large. Aucun doute. Tu exagères. La secrétaire a le fou rire : c'est son tour. Donne-lui son prix.

Des congressistes en contemplation devant les monstres. Le grand blond veut acheter le monstre au regard vert. La secrétaire l'a attrapé juste à temps. Il est vendu. How much ? It is mine, Sir. Choose another one.

Mélusine fait des caricatures de tous ceux qui s'arrêtent. Elle choisit un détail de l'habillement ou de la coiffure et fait du reste un mélange ahurissant de toutes sortes de lignes. Ils se reconnaissent et leur rire a quelque chose de gêné, d'admiratif. Fascinating ! Hey ! C'est lui !

Cent dollars. One hundred.

Ils protestent un peu. Tout est au même prix. Les caricatures et les monstres. Mélusine met l'argent dans la bourse de cuir noir. Les dollars roulés, serrés. Un effet certain d'entraînement. Comme si c'était là le souvenir le plus merveilleux qu'ils pouvaient rapporter de Montréal.

Elle n'a fait qu'une vingtaine de caricatures. La vente était trop bien amorcée : elle n'avait plus le temps de dessiner.

Elle a sorti les vingt autres monstres et les trente paysages du vieux Montréal qui n'intéressaient personne au début de la journée. Tout ça mêlé : les monstres et les paysages. Elle a tout vendu.

Ramasser les chevalets, plier la table, la chaise et attendre Lassonde qui doit venir la chercher. Où sont tes peintures ? Vendues. Pas les monstres ? Tout. Tout vendu. De quoi vivre en paix un bout de temps.

Rentrer dans son appartement de plus en plus étouffant. Qui se mettait à ressembler à une maison close. Elle ne savait pas pourquoi elle s'était dit ça. C'est la rage de vivre qui fait ça.

Qu'est-ce qui se passe, Lassonde ? Ça sent drôle ici. Les monstres, ça finit par sentir. Pourquoi fais-tu tant de monstres ? Une lune. C'est une lune de monstres. Quand je pense que tu as tout vendu. Combien en tout ? Trente ? Non. Quarante monstres et trente paysages. En quelques heures. C'est effrayant.

Se rendre compte que si on ne fait pas l'amour, on va mourir. Es-tu devenue nymphomane, Mélusine ? Tu ris trop, Mélusine. À force de t'appeler Mélusine, on dirait que c'est ce nom-là qui me vient tout le temps : j'oublie l'autre.

Manger au lit parce que ça fait partie du plaisir. Avoir de la théorie et de la pratique. Être théorisée.

Avoir lu des livres sur les joies du sexe. Lassonde a de plus en plus la certitude d'être interchangeable : devenu instrument de plaisir. Utilisé à des fins inavouables. Il lui vient de plus en plus souvent des clichés à l'emporte-pièce. Des fins inavouables ! Mélusine est devenue enragée avec les années. Depuis ce qu'elle appelle pompeusement : sa libération. L'entendre parler de minutes précieuses, de liquide précieux, le rend nerveux.

Avec sa femme, c'était le contraire, tout le contraire. Mais là, elle exagère. Aujourd'hui, c'est pire. Elle redouble. C'est le mot qu'il se répétait comme renversé encore une fois par l'imagination dont Mélusine faisait preuve. Où prends-tu tout ça, Mélusine ? Qu'est-ce qui te prend, Mélusine ? Qu'est-ce qui te prend, Mélusine ? Trop, c'est trop. Des images de sa femme Marguerite qu'il avait, durant des années, comparée à une steppe désertique. Certains soirs d'hiver, il lui avait semblé entendre le vent siffler indéfiniment sur sa froideur. Il a mal aux oreilles aujourd'hui. C'est la voix de Charles Riverin qui lui apporte ce mal aigu. Il continue de l'entendre même au milieu des mille et un plaisirs d'amour qu'invente Mélusine. Il n'a pas pu dire non. Il a accepté d'aller à cette réunion d'anciens du collège Sainte-Marie-majeure. Des frissons de déplaisir lui étaient montés jusqu'au cerveau, amorcés par les frissons d'amour. Mélusine avait gardé du romantisme dans sa rage de sexe. Il lui fallait tout. Il se mit à entendre des sifflements, comme si son mal d'oreilles avait eu une cause lointaine : pendant des années, exposé au vent sans limites, il avait pris froid.

Mélusine aurait voulu jouir dix fois. Elle avait cette habitude des chiffres. Ses plaisirs dénombrés, ses orgasmes numérotés, notés. Intensités : 1 à 10. Aujourd'hui, elle battait toutes ses marques.

Avoir des monstres en tête. Lassonde qui se met à frissonner. Il a commencé à pleuvoir et ça sent la mer dans cette chambre close qu'est devenue sa chambre. Jouir de ces phrases longues qu'elle finit par faire après avoir battu tous ses records.

Ne pas en croire ses oreilles. Tu t'en vas ? Tu t'en vas déjà ? Une réunion d'anciens ? Qu'est-ce qui t'intéresse dans une réunion d'anciens ? Écouter l'eau de la douche. Avoir des démangeaisons par tout le corps : intensités diverses, plaisir accroché dans le ventre, sous les bras. Détailler les harmoniques qui continuent de monter vers le plafond tout blanc. Vivre, jouir, faire des tableaux. S'arrêter presque sur le dernier mot. À quoi bon ? Dessiner pour dessiner, vivre pour vivre, baiser pour baiser. Avoir des relations sexuelles : souvenirs de cours de morale. Ça lui prendrait des cours de recyclage : cours accélérés de morale. Rire toute seule, tout haut : rire pour rire.

Il crie dans son cœur comme il crie sur la ville. Pluie de septembre qui tombe sur son corps.

Regarder Lassonde s'habiller : une virtuosité. Intensité : 10. Tu es bien conservé, Lassonde. En pleine forme. Fais-tu toujours ton jogging ? Toujours. Tu me donnes combien pour ma performance ? Deux ou trois. Le regarder sursauter. Je m'en rends compte quand tu es distrait. Tes distractions m'empêchent de jouir. Tu simules bien le plaisir Mélusine. Simulation : 10. Je t'ai pensée partie pour le septième ciel. Quel vocabulaire ! Il y aura le défroqué à cette amicale ? Pas une amicale : une réunion de quelques amis. C'est ce que je dis : une amicale. Tu sais la différence : on sera quelques anciens seulement. C'est Riverin qui veut me parler. Il dit que c'est grave. Il dit que c'est urgent.

Lui demander s'il reviendra demain. L'entendre bredouiller un non, une excuse, un prétexte. Non, il ne viendra pas. Il s'ennuie de sa femme, de sa femme en instance de divorce. Il s'ennuie comme on s'ennuie en

plein équateur et on jure au soleil de midi que plus
jamais on ne se plaindra du froid : autrement supportable
que cette chaleur torride. Cette chaleur humide qui
colle aux yeux, qui fait éclater le cerveau, qui brise les
oreilles. Cette brûlure de tous les centres nerveux.

S'asseoir en bouddha et dessiner des monstres. Il te
ressemble, celui-là, Lassonde. Regarde. Cent lignes plus
ou moins parallèles, plus ou moins foncées. Lassonde a
eu un coup au ventre. Qui c'est ça ? Un dessin. C'est un
dessin, Lassonde, rien qu'un dessin qui te ressemble.
Un paquet de lignes jetées sur la feuille et il se reconnaîtrait ! Il se reconnaît, il ne sait à quelle intensité au
milieu du dessin. Il se met à voir une sorte de trou béant
qui l'émeut plus que de raison.

2

LE CARNET OÙ LASSONDE SE FAIT
ACCROIRE DES CHOSES

« Je sais que je vais le faire. Même si c'est invraisemblable. Même si c'est impossible. Ce ne sera pas la
première fois qu'un projet insensé me tente.

Je sais que c'est inévitable. Je prends le dossier de
Riverin. Une fiction pure et simple. Probablement.
Riverin a toujours été exalté.

On ne peut plus rien inventer qui ne présente un
danger réel. C'est ce qui m'attire. L'œil le plus creux se
met à tourner et devient cœur d'ouragan.

Les bras morts, froids, je sais que je n'y échapperai
pas.

Il avait été question de renoncer à toute opération. Il
n'en est plus question. La crainte qui sourd d'une action
inventée de toutes pièces ne peut venir que d'une
longue expérience du danger. La mémoire ne disparaît
jamais complètement des bras disparus.

Vivre en pleine contradiction ou ne pas vivre. Ce qui
se passe vraiment en cet univers qui tourne a toujours

quelque chose à voir avec ce qu'on ose à peine continuer d'inventer.

On n'apprend plus du passé. Ceux qui prétendent avoir le sens de l'histoire se mettent à savoir que tout est anachronique. Comme si on ne pouvait plus apprendre que du futur.

Les espaces cosmiques apportent leur froid à toute idée de dépassement qui peut nous venir. Depuis qu'on a vu le croissant que dessine la terre vue de millions de kilomètres derrière la lune, on sent la fiction historique inconvenante.

À moins d'en faire des yeux vides au centre. À moins de réussir à les faire tourner jusqu'à la provocation. Les mots sont portés à devenir des noyaux et la fission ne sera jamais plus impossible. La fusion non plus. Les choses qu'on sait ne sont plus que tremplin. Celles qu'on ne sait pas feront de la terre des croissants incomparables.

Qu'est-ce qu'on peut faire de pareilles apparitions ?

La vision à peine décalée des paysages galactiques.

Je sais depuis longtemps que j'en viendrai à me dire que c'est le paysage revenu qui démembre les phrases et donne aux mots cette propension à la solitude.

Il n'est plus tellement question de lune. Les bits d'information qui nous parviennent sont incompréhensibles pour ceux qui tiennent à leur façon de voir. Ou à leur façon de compter.

Il ne s'agit pas de changer sa vision des choses. La vision impossible désormais. Un sens différent s'impose. Un sens vide qui tourne au centre. Avec des bras en spirale.

Avoir vu le jour comme un dessin. Une ligne courbe. Un arc dont il s'agirait de mesurer le degré. Ou l'intensité de lumière. Ou la couleur.

Rien dans les papiers que je lis ne peut me convaincre de l'irréalité de l'affaire.

Que les papiers soient mêlés, difficiles à classer n'enlève rien à ce que de plus en plus je me mets à croire : rien n'est impossible.

Il s'est glissé des faux et même les documents authentiques ont perdu de leur véracité. On dirait qu'à l'usage, le peu de fiction qu'ils contenaient s'est mise à couvrir les faits.

Riverin m'a dit : Prends le dossier sur toi. Drôle d'expression.

Après m'être dit qu'il était impossible de rien savoir, je me suis rendu compte que l'impossibilité se défaisait.

Le bateau dans lequel je m'embarque n'a rien d'une ancienne galère ni de l'antique machine à voyager dans le temps.

Il s'agit de constituer un paysage inconnu. Plus qu'un paysage, plus qu'une histoire. Il s'agit de constituer une invention à partir de ses effets avérés. À partir des faits plus ou moins connus, plus ou moins notés.

Je sais qu'une curiosité internationale s'est fait jour pour l'œil creux qui, à Montréal en 1967, s'est mis à tourner jusqu'à former un ouragan de grande envergure. »

3

UN ORDRE INVISIBLE MAIS RÉEL

Ce dossier a été monté par Charles Riverin, depuis très longtemps conseiller légal du maire Noël Oliphant. Des feuilles de toutes les grandeurs, de tous les papiers. Des originaux et des photocopies de toutes sortes. Certaines écritures sont à peine lisibles, d'autres, de la main de Charles Riverin lui-même, sont des merveilles de calligraphie.

Inutile de penser pouvoir classer tout ça pour le moment. Riverin a demandé à Lassonde de ne rien déplacer. Il y aurait là un ordre : invisible mais réel.

Des notes signées Brind'Amour sont agrafées. Certaines de ces notes sont entre la rouerie et l'infantilisme. Alice Brind'Amour est l'adjointe du maire depuis plus de quinze ans. Charles Riverin m'assure qu'elle a une intelligence au-dessus de la normale. Les notes peuvent être fausses ou bien Brind'Amour joue un rôle. Elle semble s'adresser à un certain Hyatt, journaliste international, mais on dirait qu'elle parle à quelqu'un d'autre à travers lui. Une liaison ambiguë avec cet homme qui pourrait bien être un agent de la CIA.

On se demande comment il a pu attacher de l'importance à ces notes. Les premières surtout sont d'une
grande insignifiance.

4

UN REQUIN AURAIT FAIT MER NETTE : UN JOUR DE MAI 1966

« Le maire Oliphant est arrivé en retard ce jour-là. Son conseiller légal, maître Riverin, attendait déjà depuis une demi-heure. En faisant semblant de feuilleter les pelures d'oignon d'un dossier. Le maire ne supporte pas qu'on entre avant lui dans son bureau. Maître Riverin attendait donc près de moi.

Le maire est arrivé. Le maire Oliphant, précédé de toutes ses odeurs. Ils sont entrés dans le bureau en question, l'un derrière l'autre. La porte ne se ferme jamais vraiment entre le bureau du maire et le mien. J'arrive à tout savoir.

« Il va neiger, on dirait. »

« C'est le mois de mai. »

Maître Riverin ne pensait pas à la température. Il serrait le dossier sous le bras gauche. Quand ils se sont assis, l'un en face de l'autre, j'ai cessé de travailler. Je les ai écoutés.

Le maire avait été en proie à un cauchemar, comme d'habitude. Il cherchait à le raconter mais sans avoir l'air de se laisser aller à attacher de l'importance à des riens.

L'idée de faire passer un cauchemar pour un songe avait dû lui venir. Je le connais depuis assez longtemps pour savoir ça. Tout ce qui lui arrive prend vite des proportions indues.

« Connais-tu un analyste des songes ? »

L'avocat avait posé ses mains à plat sur la couverture orangée du dossier pour attirer l'attention du maire. Je les voyais assez bien d'où j'étais. J'avais pris le temps de me déplacer un peu. Je n'ai aucun scrupule, car je me suis rendu compte que j'ai tout intérêt à savoir le plus de choses possible. Il n'y a rien de plus inhumain que de taper des phrases à l'aveuglette sans même savoir ce que ça peut vouloir dire.

Comme l'avocat ne lui avait pas répondu et s'était contenté de regarder le dossier, le maire s'était tu.

« Il y a du complot dans l'air, Oliphant. Il faut que tu m'écoutes attentivement. »

« Comme toujours : il y a du complot dans l'air ! Je le sais de tout bord tout côté. Le chef de police est vigilant. Qu'est-ce qu'on peut lui demander de plus ? Penses-tu qu'il a l'envergure qu'il faut pour tenir compte d'un songe que j'ai fait ? »

« Il a déjà à tenir compte de centaines de rumeurs toutes plus graves les unes que les autres. Tiens ! Ici, dans le dossier que je tiens ici, il est question d'un complot monstre pour te tuer. Pour tuer de Gaulle aussi. Il est question de vous tuer tous les deux lors de sa visite à l'exposition universelle. »

« Évidemment. »

« Tu es au courant de ce complot monstre ? »

«Pas vraiment. Qu'est-ce qu'il y a dans ce dossier, Riverin ? Tu peux me le dire. Je t'écoute attentivement. Tu as rassemblé toutes les rumeurs d'assassinat ?»

«Rien qu'une. Une seule compte. Si c'est une rumeur, on dirait bien qu'elle est fondée.»

«Sur quoi ?»

«Les bruits courent partout. Les rapporteurs sont formels. C'est devenu un bruit de fond tellement puissant que toutes les autres rumeurs semblent s'évanouir.»

«S'évanouir ? Tant que ça ?»

«Les autres dossiers sont minces comparés à celui-là.»

«Ce qui m'étonne, c'est le songe que j'ai eu. Il semblait corroborer les rumeurs.»

«Quelles rumeurs ? Les rumeurs de complots en général ou les rumeurs d'un complot monstre ?»

L'avocat faisait des gestes de plus en plus amples pour attraper sa pensée qui le fuyait de plus en plus. À mesure qu'approchait l'année 1967. À mesure que se dessinait la visite de ces millions de personnes à l'exposition universelle. Il essayait de se leurrer. Une seule visite l'inquiétait vraiment : celle de de Gaulle.

Le maire Oliphant avait pris son air des jours de componction universelle. Son air qu'il voulait insondable.

«Je suis content qu'il n'y ait plus qu'un seul complot valable.»

«Valable ?»

«Puisque les autres se résorbent ! C'est mieux comme ça. Le gros poisson avale tous les autres. On n'aura qu'à s'équiper pour la chasse au requin.»

Le maire avait eu une lueur dans l'œil qui aurait pu en dire long à celui qui aurait su la mesurer. Moi, j'étais d'accord avec son histoire de poisson mais je me suis dit qu'un requin, c'était peut-être plus centré comme complot, plus ramassé comme danger, mais que ça restait plus dangereux que dix petites morues. C'étaient peut-être des piranhas. Il aurait fallu savoir si le requin en question était vraiment capable d'avaler les autres poissons, s'ils étaient comestibles pour lui. J'aurais été curieuse de voir ça dans une vraie mer.

J'ai trouvé drôle que le maire se réjouisse de la présence d'un gros requin dans le paysage. Comme s'il ne redoutait rien ou presque rien de lui. Une grosse rumeur de complot qui avale les petites et il est rassuré. C'est comme s'il n'avait plus besoin de tendre l'oreille. Comme s'il entendait le langage du requin. Comme s'ils se comprenaient tous les deux. Comme si le requin lui était dévoué. Une sorte de poisson pilote pour le maire Oliphant.

Il n'a pas raconté son cauchemar, finalement. S'il le raconte à quelqu'un, je le saurai. Je finis par tout savoir. Maître Riverin ne peut pas supporter que le maire raconte ses cauchemars à tout venant.»

5

MÉLUSINE ET LA VIE EN ROUGE

Ne rien trouver de mieux à faire que ce monstre. Un monstre de cette envergure. C'est la première fois qu'elle sent le besoin de sortir de ses dimensions ordinaires. Trois jours qu'elle le travaille. Jamais été aussi émue. Comme le docteur Frankenstein.

Faire de la gymnastique, faire du yoga, tout faire pour ne plus avoir ce nœud dans la gorge. Un tableau est un tableau. Même pas une sculpture. Il y a eu Pygmalion aussi. Et l'autre qui disait à son Moïse : parle donc.

Se dire que c'est mieux qu'il se taise. Qu'il reste là dans ses deux dimensions. Assise comme Gandhi, juste en face de son Bouhou, elle tente de se calmer. Curieux de s'être sentie portée à dessiner des monstres. D'en avoir tant vendu l'a révoltée.

D'abord admettre qu'elle s'est sentie drôle. Ses belles toiles, ses vrais tableaux, personne n'en veut. Là, en quelques heures, sur un bout de trottoir, avoir vendu quarante monstres et trente paysages du vieux Montréal : les paysages emportés par le flot monstrueux.

Elle sait bien qu'elle serait restée collée avec ses paysages s'il n'y avait pas eu les monstres.

Se calmer avant que l'équipe de *La vie en rouge* arrive. Avoir proposé des caricatures à cette revue féministe lui paraît maintenant un geste inconsidéré. Ça lui est venu comme une inspiration en revenant de son trottoir au pied de la croix de la place Ville-Marie. On dirait que tout ce qu'elle fait maintenant tient du monstre, de la caricature.

Les yeux fermés, le ventre rentré, l'inspiration gardée, se mettre à chasser toute pensée. Se détendre à fond. La présence du monstre en face d'elle : trop puissante. En arriver à sentir sa présence. En arriver à en avoir peur. C'est elle qui a fait ça. C'est elle. Elle qui ne faisait que du géométrique pur depuis deux ans. Elle est entrée dans le fantastique comme si elle entrait chez elle.

Ne pas se laisser aller à l'introspection, aux souvenirs de toutes les chambres de sa vie. C'est ici sa chambre désormais, son atelier, sa maison. C'est ici sa vie. Elle habite sa vie et rien d'autre. Ce monstre est son œuvre d'acrylique et rien d'autre. Il ressemble un peu au premier qu'elle a vendu : celui de la secrétaire. Elle le trouvait laid, la secrétaire : laid et irrésistible. Elle l'a arraché à l'Américain qui le regardait de trop près, qui demandait How much.

Bouhou ressemble à l'autre mais en moins concret. L'autre avait un œil vert mousse reconnaissable, presque à largeur de tête. Celui qui la regarde du mur d'en face a quelque chose de géométrique. On ne fait pas des tableaux avec des lignes, des plans, des perspectives pendant deux ans impunément.

Impunément ! Un mot du vocabulaire de son Jésuite fils de Jésuite, son ami Lassonde. C'est un monstre ligné. Un monstre de graveur obsédé par les droites et les presque droites. Même l'œil au milieu se passe de courbes : entièrement fait de parallèles.

Ne pas arriver à le voir vraiment. Manquer de recul. Se coller au mur d'en face, les jambes allongées, la tête appuyée, les yeux grands ouverts. En arriver à se dire qu'on n'a jamais rien fait de plus épouvantable. Et pourtant ne pas pouvoir cesser de le regarder. Du rouge quelque part. Du rouge dessous. On dirait que le vert ne fait qu'appeler le rouge dans l'œil. Une sorte de frayeur. Toute la pièce est aimantée, tournée vers ce rouge qui ressort. En un point surtout. Vers le haut : au tiers de la hauteur.

Avoir répondu à la sonnette. Avoir offert des coussins à même le plancher. Pas de chaises ici. Les autres toiles ne passent pas inaperçues non plus. Très belles, Mélusine. Chatoyantes. Marise a eu un petit rire coupé court devant Bouhou. Les trois autres ont dit : ouais, tu te lances !

Parler de la revue. Ton offre de services acceptée mais à certaines conditions. L'esprit de la revue : d'extrême importance. La caricature devra être dans l'esprit : acceptée par tout le bureau de direction. Le sujet sera choisi à l'unanimité.

Mélusine n'a que des caricatures de monstres en tête. La première caricature pourrait paraître tout de suite la semaine prochaine. Qui caricaturer ? La femme non libérée ? La femme esclave de son mari et de ses enfants, qui bénit sa servitude ? Mélusine en est à se dire qu'elle en fera une caricature monstrueuse. Une femme épuisée mais ravie d'extase comme la *Sainte Thérèse d'Avila* de Cellini.

Leur avoir offert du jus de tomate et des sandwiches au jambon avec de la moutarde française et de la salade. Avoir mangé au pied du monstre en se demandant ce qu'elles en pensent vraiment, si elles en pensent vraiment quelque chose.

Le prix de la caricature devra être très bas. Combien ? Dix dollars, pas plus. En vends-tu ? Tes tableaux, les vends-tu ? Ne pas répondre. Es-tu engagée dans la lutte des femmes depuis longtemps ? En esprit depuis longtemps. Qu'est-ce que tu penses de la *Dinner Party* de Judy Chicago ? J'aurais aimé une alternance homme et femme dans les assiettes : érection femme, érection homme, côte à côte. Un certain silence en présence du monstre sans sexe en face des mangeuses. Le dernier sandwich pour Louise qui a un grand corps à nourrir. Le projet de Judy Chicago était justement de faire un banquet où ne seraient invitées que des femmes : ce n'est que justice.

Mélusine est d'accord. À l'avenir, ne faire que des monstres femmes. Un frisson tout le long de l'échine. Les monstres sont unisexes, comme les yeux. Drôle de relation d'idée.

Ça représente quoi, la grande chose, au juste ? Ça représente quelque chose. Ce n'est pas de l'abstraction ni du géométrique pur. Tu changes de style avec celui-là ou c'est une envolée ponctuelle ? Une envolée ponctuelle. Ne pas en dire plus. S'être entendues sur le sujet de la caricature : « l'anniversaire de naissance » et en dessous, la phrase que Louise a entendue à l'épicerie : « Je suis assez tannée des fêtes ! Ça finit plus les fêtes. »

Parties. Prendre sa tablette et jouer un peu avec des lignes. Prendre Louise comme modèle de mère. Pourquoi pas ? De toute façon, ce sera loin du portrait. Prendre le contentement de soi et la supériorité qui suinte de partout. Les crayons de couleurs bien aiguisés, en faire dix sans penser au prix du papier. Dix dollars pour une caricature, quand elle pourrait vendre quarante monstres par jour au pied de la croix de la place Ville-Marie.

La sonnette en douce. Lassonde en douce. Continuer de faire des caricatures : Louise de plus en plus reconnaissable, de plus en plus extasiée. Le jeu de la tête renversée par l'insupportable joie, par le ravissement qui brûle tout sur son passage.

Lassonde qui lui passe la main sous les seins. L'autre main tout le long du dos. Continuer de dessiner : coïncidence d'extases. Continuer : des vibrations qui montent, qui descendent.

Faire l'amour là, sur la tablette de dessin, en présence de Bouhou qui regarde à travers toutes ses lignes. Créature, chose, aérolithe. Orgasme : intensité 5. Distractions des deux côtés.

Tu penses à ton dossier, Lassonde ! Tu penses à tes caricatures, Mélusine !

6

LASSONDE N'A PAS ENCORE
UNE IDÉE TRANQUILLE
DE L'AFFAIRE

« Ce n'est pas un dossier qu'on peut consulter en paix. On ne peut pas se faire une idée tranquillement. Les sources ne sont même pas indiquées clairement. Certaines pages sont des photocopies de dossiers secrets de la CIA et de la GRC. D'autres ne sont que des résumés d'articles de journaux. Des lettres, plus ou moins pertinentes, écrites avec grand soin, ou bien des notes de service laconiques, qui semblent bien être tombées dans le dossier par erreur. Que l'erreur ait été voulue ou tolérée, on ne peut rien en savoir.

Tout ce que je sais, c'est que Riverin m'a demandé d'envoyer une sonde à travers tout ça et de rapporter le film de mon exploration spatiale et temporelle.

J'ai senti chez lui une volonté de savoir ce que moi j'en pensais. Au moins si je ressentais la même fascination que lui pour ce qui s'était passé en 1967. Il semble bien que toutes les sociétés secrètes aient senti

le même besoin de savoir ce qui s'était passé. Comme si
ce qui s'est passé continuait de se passer dans le monde :
comme si c'était le meilleur échantillon de quelque
chose de difficile à comprendre.

Ce que j'ai sous les yeux vient tout droit d'un
journal de voyage. Il n'y a pas de signature mais
l'écriture est reconnaissable. C'est dans ce journal de
voyage que j'ai vu le nom de l'Œil mentionné pour la
première fois. Je me suis demandé qui c'était. J'ai pensé
à un agent secret de qui ce serait le nom de code. Ce
journal est celui de Simon Clavel, journaliste de pointe
de réputation internationale. »

7

FINIE LA CONTEMPLATION.
ENFIN L'ACTION.

Sainte-Luce-sur-mer. 30 août 1979

« Quand je reviens à Sainte-Luce-sur-mer, je me dis que la fin du monde est proche. Hier, une tempête d'Apocalypse. Trois éclairs d'un vert brillant au-dessus de la côte Nord. Mais pas trois éclairs en lignes brisées. Trois éclairs en spirales. Jamais je n'avais vu pareille chose. La foudre se propagerait autrement parce qu'on serait au seuil d'un réarrangement cosmique.

C'en est fini du monde tel qu'on le connaît.

Les enfants jouent sur la plage. L'orage est sur la côte Nord. Ici, il pleut un peu, mais avec des imperméables et des bottes, ils peuvent s'inventer un grand jeu qui couvre tout l'espace entre les deux rochers. Cet endroit clos leur permet toutes sortes de stratégies. Moi, je les regarde jouer.

Tous les onze mille ans, les pôles changent de place. Des mammouths se sont trouvés congelés la dernière fois. On les a retrouvés intacts, la pose gardée en un instantané scuptural. »

31 août–9 heures

« On en arrive à se morfondre. Étendu à plat sur le rocher Est, un peu comme Prométhée, je n'ai pas besoin de vautour pour avoir le foie mangé. Mon transistor siffle, crépite. La bruine me couvre et les nouvelles du monde grincent. Complexité ahurissante. Comment cet assemblage de pièces tient-il encore ? Bruits et ratés. J'en ai les oreilles écorchées. La terre brinqueballante.

Mes enfants sont venus me dire de rentrer. Une lettre urgente vient d'arriver. »

12 heures

« Finies les vacances.

J'ai embrassé Hélène, mes trois filles et j'ai quitté Sainte-Luce-sur-mer le plus vite possible. Le soleil avait paru juste au moment où j'ouvrais la porte. La côte Nord était toujours aussi noire, encore éclairée de temps en temps par un éclair de couleur. C'est la dernière image que je garde de ce jour de vacances. J'étais content de partir. Enfin le travail. Enfin la misère de l'action.

Le monde brinqueballant m'attendait. Quelque part on demandait mon avis. J'aurais mon mot à dire sur les événements à venir. Des nœuds plein les mains. Je me demandais quand même : pourquoi moi ? Ce que je connais aux affaires d'Haïti est assez mince. J'avais beau en faire le compte : c'était mince. Une expertise, c'est une chose. Un avis, autre chose. Ils voulaient mon avis : un avis intelligent. Ils me mettraient au courant de l'affaire, et moi, en me concentrant, je saurais trouver le joint.

L'auto roulait aussi mal que le monde. L'humidité du fleuve y était pour quelque chose. On aurait dit qu'il allait se remettre à pleuvoir. »

13 heures

« J'écris pendant que le mécanicien essaie d'améliorer le roulement du moteur. Je voudrais me rendre à Montréal au plus vite. Ils m'attendent pour avoir mon avis : je me le répète pour entendre l'écho de mes pensées. On dirait qu'il y a erreur sur la personne. Je ne peux m'empêcher de le penser. Ou bien c'est un piège ! Pourquoi cette exaltation, Simon ? Tu penses toujours à l'Œil au fond. Tu ne penses qu'à lui tout le temps. Il te semble qu'il te fait des signes à tout moment : des signes qu'il faudrait comprendre.

Drôle d'histoire. Je me précipite dans un piège à claire-voie. »

8

LA FEMME EN JAUNE ET
SA SUITE

1er septembre–1 heure 30 minutes

« On m'avait réservé une chambre à l'hôtel Bonaventure. J'ai senti le danger en entrant. Mes pas, mes respirations avaient une suite. On m'écoutait. Le micro pouvait être n'importe où. Je décidai qu'il était là, quelque part, sans chercher à le localiser. Ça ne me donnait pas grand-chose de le savoir d'une façon précise.

Le rendez-vous est pour 9 heures. Dormir du sommeil de l'homme d'action. »

8 heures 50 minutes

« La nuit m'a reposé. J'ai fait monter un petit déjeuner qui ressemble à autre chose qu'à un petit déjeuner. En buvant ma deuxième tasse de café, debout près de la fenêtre, j'ai vu une grande femme en jaune qui promenait un chat en laisse. Une petite vieille la suivait à quelques pas. Ce qui m'a frappé, c'est peut-être la façon qu'avait cette naine de suivre l'autre. Une sorte de langueur, de retard : elles auraient pu être reliées par un fil mou. Une nonchalance curieuse dans ce drôle de couple que précédait un chat noir aussi gros qu'une panthère.

Le café n'est pas très bon, mais j'ai demandé qu'on m'en monte plusieurs tasses. J'en aurais offert au Haïtien s'il était arrivé à l'heure.»

11 heures

«À neuf heures trente, je m'étais dit qu'il lui était arrivé quelque chose. C'est là que j'ai entendu trois petits coups sur la porte : trois petits grattements. Le Haïtien était court, menu : une nervosité ahurissante dans tous les mouvements. Tout en gestes et en regards.

Je lui avais fait comprendre qu'il y avait un micro et j'avais lancé des phrases disparates et incongrues pour notre auditeur lointain.

Le Haïtien était entré dans le jeu et c'était de la haute voltige. Le nom de Duvalier revenait entre nous mais personne n'aurait pu nous prendre au sérieux. Cousu de fil blanc, surpiqué de fil blanc.

Debout près de la fenêtre, Joseph a vu lui aussi la femme à la panthère et l'autre qui suivait. J'ai trop l'habitude de ce monde pour ne pas tenir compte des moindres signes. Cette femme était sur l'affaire elle aussi. Mais de quelle affaire s'agissait-il ? Le Haïtien avait beau hausser les épaules et rouler la tête, je savais que cette femme-là ferait partie de ma vie pendant un certain temps. J'aurais dû penser aux deux femmes puisqu'elles étaient sensiblement liées entre elles. Quelque chose de servile dans l'allure de la petite vieille me la faisait considérer comme une quantité négligeable. Une surnuméraire.

Le Haïtien m'avait fixé un autre rendez-vous dans un appartement de l'Ouest de la ville où il n'y aurait certainement pas de micro. Il m'avait écrit tout ça sur un bout de papier que j'ai brûlé dans le cendrier ensuite.

Après son départ, j'ai continué de regarder le drôle d'équipage arrêté en face de l'hôtel. La femme en jaune, de l'autre côté de la rue, avait levé la tête et me regardait. Malgré la distance, j'ai nettement vu la lueur qu'elle avait dans l'œil. Une lueur reconnaissable.»

12 heures

«Le rendez-vous de cinq heures me laisse trop libre à mon goût. La curiosité a failli me jeter sur le trottoir à la recherche de la femme au chat qui avait disparu tout d'un coup. On aurait dit qu'elle s'était engouffrée dans une volkswagen orangée. Je n'étais sûr de rien.

Plutôt téléphoner à Hélène à Sainte-Luce. Pas de réponse.»

15 heures

«J'ai rusé avec moi-même. J'ai marché sans but avoué sur Sainte-Catherine et sur Sherbrooke. Je voyais un coin du mont Royal de temps en temps. Un arbre coloré déjà vers le haut.

La terrasse de l'Escargot à la place Ville-Marie était ouverte. J'ai pris une table collée au mur de verre. Je pourrais me sentir écrasé par les gratte-ciel. Les cumulus passent à grande vitesse et tout est en pleine dérive. Pas de sensation d'écrasement. Une jubilation terrible, comme aux meilleurs jours de ma carrière. Une curiosité encore plus grande que d'habitude pour ce qui va venir. Les bras froids de désir, je me force à penser à Hélène et aux enfants, mais cette pensée ne fait qu'accentuer encore la saveur de ce que je vis.»

9

LASSONDE N'EST PAS UN SPÉCIALISTE DES GRILLES

« Quelqu'un avait inséré des notes agrafées, écrites à l'aide d'une grille dont je ne savais rien. Il y en avait quatre, assez courtes. Je les ai mises l'une à côté de l'autre pour voir si je pouvais en tirer quelque chose à l'œil nu.

Deux mots insensés revenaient sur toutes les notes. La grille était peut-être très simple. Peut-être un simple texte littéraire. Peut-être toujours le même texte. Je croisai les doigts. Ils s'étaient peut-être entendus sur la lettre à conserver dans le message, toujours la même deuxième ou troisième lettre. Cette lettre pouvait très bien renvoyer à la lettre du texte littéraire. Le c à la troisième lettre et le z à la vingt-sixième. J'avais une chance sur combien de tomber juste ? J'avais décidé de m'en tenir au plus facile pour le moment. Ce dossier me paraissait de plus en plus complexe. De plus en plus mêlé aussi. Riverin semblait avoir ignoré ces quatre notes purement et simplement.

Les notes en question disposées devant moi, je me contentais de les regarder sans trop penser. Deux mots étaient répétés tels quels. J'ai vu la paresse de celui qui avait écrit ça. Personne ne s'était forcé pour faire des phrases sensées.

D'abord faire un travail rapide sur ces notes. Avec les grilles littéraires, une même lettre a plusieurs possibilités de traduction. Il faut procéder par tâtonnements au début.

Je les ai relues à haute voix en faisant agir un sens linguistique, difficile à définir, que j'ai développé avec les années.

Minam et Aitsonlm revenaient sur chacune des notes. Les deux mots avaient une majuscule. Inattention ou paresse : j'y revenais. Les mots importants laissés comme ça, n'importe comment.

D'abord mettre Minam et l'Œil l'un en dessous de l'autre.

M	I	N	A	M
L	O	E	I	L

Les deux m avaient la même lettre vis-à-vis. C'était loin d'être une preuve de la justesse de ma lecture.

Aitsonlm avec sa majuscule pouvait être un nom de ville. Comme le journaliste du journal de voyage avait été convoqué à Montréal pour donner son avis à des Haïtiens, je mis les lettres des deux mots en regard : comme pour Minam/L'Œil.

A	I	T	S	O	N	L	M
M	O	N	T	R	E	A	L

Le M avait encore un L pour équivalent. Ça faisait trois fois que j'avais la même équivalence. Le I donnait encore O comme dans l'autre mot. Le A correspondait ici à un M et dans l'autre cas à un I.

J'avais assez de lettres pour m'essayer à traduire le reste du premier message. Minam et Aitsonlm étaient les seuls laissés tels quels d'après ce que je croyais voir. Il me faudrait travailler beaucoup plus pour le reste.

Il y avait des mots de deux lettres. Ça éliminait le choix de la troisième lettre du texte littéraire.

EST LOIN BIEN DÉCEVANT ET ENTÊTANT EST MINAM. ELLE MARCHERA ENSUITE ET ANNON-CERA ASSIMILATION AITSONLM. MAIS AINSI EN ENVOYANT ET TUMÉFIANT RETOUR, EN ESTI-MANT RITUELLEMENT VÉRITABLEMENT POUR ÊTRE ENVIÉ DURABLEMENT.

J'avais frémi. Une sorte de plaisir incongru. Comme si déjà j'y comprenais quelque chose. En prenant la deuxième lettre de chaque mot, puisqu'il fallait en essayer une, j'obtenais :

SOIETNS MINAM (qui restait tel quel, d'après moi). LANTNS AITSONLM (tel quel aussi). AINNTU EN-SIEOTNU.

En me servant des équivalences suspendues des mots L'Œil et Montréal, je pouvais essayer de trouver au moins des racines probables et des terminaisons possibles.

S O I E T N S
———————————————————
T R O A N E T

Je laissai troanet tel quel pour le moment et passai à l'autre mot : lantns.

L A N T N S
———————————————————
A M/I E N E T

La double possibilité du a tombait : le choix du m
évitait les trois voyelles d'affilée : aie. J'avais AMENET.
Ça me donnait pour le mot lantns : amenez. Le premier
mot devenait probablement : troanez. Trouvez était
probable.

Là où j'en étais, j'avais donc deux autres équivalences
plus que probables :

S O I E T N S	et	L A N T N S
T R O U V E Z		A M E N E Z

Je pouvais lire : TROUVEZ L'ŒIL. AMENEZ MON-
TRÉAL. Le reste allait être plus facile. J'avais une grille
presque complète. Même si certaines lettres avaient
plusieurs possibilités, je me sentais en confiance. J'avais
inscrit le mot suivant :

A	I	N	N	T	U	
I/3M	4O	5E	5E	V/2N	?	

J'avais comme mot probable : moeen ? que je con-
servai tel quel en attendant. Le dernier mot du message
se lisait :

E	N	S	I	É	O	T	N	U	
U	6E	T/2Z	4O	U	5U	V/3N	6E	?	

J'avais gardé les lettres les plus probables. Le o avait
été cinq fois u. Je tentai de lire. Le u du début me parut
impossible : je prononçai le mot en l'omettant : ézourne
ou bien étourne (la lettre s avait été deux fois z mais
une fois t). Détourne me vint à l'esprit. Le u pouvait
donc être un z ou un s. Si je prenais le s, j'avais pour
insntu ; moeens et pour l'autre détournés. Je vis : moyens
détournés.

Les autres poèmes surréalistes furent traduits beaucoup plus facilement. Les messages se lisaient mais
restaient obscurs.

Je me suis dit que je les laisserais dans le dossier avec leurs traductions telles que je les avais faites.

1) TROUVEZ L'ŒIL. AMENEZ MONTRÉAL. MOYENS DÉTOURNÉS.
2) SURVEILLEZ CLAVEL. L'ŒIL EN VUE. MONTRÉAL CENTRAL.
3) L'ŒIL PARAÎTRA. RÉUNION PRÈS DE MONTRÉAL.
4) CLAVEL JOUERA JEU DE L'ŒIL À MONTRÉAL.

Ces messages laconiques devaient s'adresser à un agent secret. Pour le moment, je ne sais rien de plus. Une chose me frappe : Clavel et l'Œil ont des relations certaines. Montréal est au centre de toute l'affaire, telle que je commence à la voir.

En soupesant encore une fois ce dossier mêlé, brouillon, j'ai vraiment eu l'impression de faire bouger le monde. Comme si je tenais le petit bras d'un pantographe à l'échelle de la terre. Tout se tient. J'en viens à dire des phrases toutes faites. Tout est dans tout. Une âme qui s'élève élève le monde. Un homme qui se fait descendre lui donne une secousse vers le bas. Une femme qui écrit des notes insignifiantes en arrive à influer sur la destinée d'un hémisphère.

Refermer le dossier pour le moment. Il s'agit de découvrir la vérité ou quelque chose de ressemblant. Elle ne sort peut-être jamais sans déguisement.»

10

DU CÔTÉ D'ALBERT D'ANGOULÊME

« Joseph nous l'a amené à l'appartement de la rue Sainte-Catherine ouest vers six heures. Ils avaient été suivis mais pensaient avoir réussi à se déprendre de la filature. Après l'épais document que j'avais reçu de Clavel, je m'attendais à une sorte de révélation. Je m'attendais au moins à une rencontre mémorable. Joseph s'était défilé après nous l'avoir présenté. Son rôle était fini, il était content de s'en aller.

Tous les membres présents du Conseil de l'Organisation pour la libération d'Haïti ont d'abord cru à une réserve de sa part. Ou même à une feinte. Je m'arrangeais pour rester fondu à eux. Je ne tenais pas à ce qu'il sache que j'étais le chef.

Il attendait quelque chose de nous : c'était visible. Il attendait une explication. C'est à peine s'il comprenait ce que je lui disais, ce que lui expliquait Pierre Alexandre. C'est une autre explication qu'il voulait. Le document qu'il nous avait envoyé avait été détruit comme il nous l'avait demandé. Ce document avait été plein de connaissances, plein de recoupements intéressants. Cet homme-là nous avait découverts. On s'était sentis connus dans ce qu'on avait de plus secret. Il était là, Simon Clavel, et il ne comprenait pas ce qu'on lui disait.

Les membres du Conseil de L'OLH faisaient presque seuls la conversation. L'idée m'est même venue qu'il souffrait d'amnésie ou bien qu'il s'était mis à nous soupçonner de quelque chose d'inavouable.

« Il n'est pas question de le tuer. Mieux vaut le garder intact. Sa mort serait pire que sa vie pour le pays. »

C'est toujours autre chose qu'il disait. Il ne répondait jamais aux questions qu'on lui posait. Simon Clavel lançait des phrases : c'est tout ce qu'il faisait. Il répondait à d'autres questions : des questions qui lui seraient venues d'ailleurs, d'une autre sphère.

Pierre Alexandre a failli faire allusion au document. Il nous avait demandé explicitement de n'en rien faire. Il avait fallu le brûler après l'avoir lu et ne pas y faire référence.

On était mal. Tout le monde sentait un danger imminent. J'avais mis fin à la séance. On devait se revoir au journal, le lendemain. Jean-Napoléon Terreneuve tenait, lui aussi, à le rencontrer en personne.

On laissait Clavel là, mais on gardait la peur dans les poumons. Les respirations, les voix étaient investies. Une minuterie aurait pu nous commander à distance. On ne voulait pas y croire. On y croyait. »

11

OÙ CLAVEL SE DEMANDE
S'IL N'A PAS DES SORTIES
HORS DE LUI-MÊME

« L'appartement de la rue Sainte-Catherine ouest avait quelque chose de sinistre dans sa médiocrité. Après avoir fait de multiples détours, Joseph avait tourné abruptement dans une entrée qui n'avait l'air de rien. La porte du garage s'était ouverte automatiquement et s'était refermée aussi vite. Le garage était si sombre qu'on ne voyait rien. Après le soleil éblouissant de la rue, c'était tout un contraste.

« Le garage communique avec l'appartement. C'est plus sûr. »

Joseph continuait d'avoir l'air poursuivi : une nervosité ahurissante. Les Haïtiens étaient là, devant moi. C'est l'un des moments les plus étranges de ma vie : cette rencontre !

Joseph avait fui : c'est le mot. Les autres s'étaient mis à me poser des questions, surtout Albert d'Angoulême et Pierre Alexandre. Je me suis dit en les écoutant que j'étais tombé dans un piège, comme un débutant. Une sorte de considération dans leur voix, mais une considération inquiète, soupçonneuse. Qu'est-ce qu'ils voulaient ? Ils en savaient cent fois plus que moi et semblaient se référer tout le temps à une bible disparue de la circulation depuis longtemps mais restée probante.

Ils se retenaient tous de me poser la seule et unique question sensée qui leur serait venue à l'esprit sans arrêt. J'avais peut-être souffert d'amnésie totale. Ou bien quelqu'un s'était avisé de vivre pour moi certaines choses sans m'en parler.

J'aurais pu les arrêter : j'en aurais eu le cœur net. La curiosité me retenait de rompre le charme sinistre de cette rencontre. Ils se retenaient eux aussi. Comme dans l'histoire des deux hommes qui se saluent avec effusion, chacun reconnaissant dans l'autre quelqu'un d'autre.

Un porte-à-faux hallucinant.

Moi, j'ai bel et bien reçu un message de cette Organisation. Ils me demandaient en toutes lettres de venir les rencontrer à Montréal. Ils m'ont bel et bien envoyé ce message. Ils m'attendaient.

Ils m'en ont tout dit de leur Organisation. Un concis. Une sorte de récapitulation. Qu'est-ce qu'ils pouvaient attendre de moi au juste ? Ce n'est pas la déception qui primait dans leur attitude, et pourtant ils étaient terriblement déçus. Les quelques phrases que j'ai lancées leur ont semblé intouchables. C'est bien ça. C'étaient des phrases insignifiantes : des sondes que je lançais. J'essayais d'amorcer la question qu'ils avaient tous sur le bout de la langue. Je ne réussissais qu'à provoquer un silence total autour de ce que je disais. J'aurais parlé en parabole. J'aurais lancé une allégorie en milieu saturé. Une phrase insignifiante ou pleine d'un sens inapparent.

Une stupeur leur venait d'ailleurs, peut-être de cette bible disparue à laquelle ils semblaient se référer tout le temps.

Je me suis senti comme un mathématicien ou un astronome qui ferait ses calculs en faisant abstraction de la venue d'Einstein. Je continuais de leur lancer des phrases pour refaire l'expérience de leur stupeur, de leur curieux silence.

Celui qu'ils appelaient Albert D'Angoulême m'apparaissait comme l'intellectuel du groupe. Il a bien failli me dire que le Messie était venu ou Einstein ou quelqu'un d'autre. Il s'est retenu sur le bord d'un abîme qu'il s'est probablement mis à imaginer.

Il y avait là un mystère qu'il voulait assumer courageusement. J'ai vu sa bouche se fermer. Tout n'est pas bon à dire. Il prenait des notes dans son carnet. Je ne pouvais rien voir de ces notes. Mais à quelques reprises, il m'a jeté un coup d'œil d'un sérieux étonnant.

Ils m'ont laissé seul dans l'appartement ensuite. Je ne sais pas pourquoi. Ils sont sortis en me saluant silencieusement. Comme si c'était la seule chose à faire.

J'ai fait le tour des six pièces de l'appartement. Le sous-sol est à peine meublé. Des tapis poivre et sel partout. Les murs d'un blanc cassé : propres sans être impeccables. Des stores gris fer bien tendus sur toutes les fenêtres. Je m'étais dit que ça devait attirer l'attention de l'extérieur, mais en voulant regarder dehors, je me suis aperçu que des rideaux bon marché à motifs de feuilles beiges sur fond beige avaient été posés tout près des vitres.

Un appartement au-dessus. Un bébé pleurait de temps en temps. Mais un bébé différent de ceux que j'avais connus. Différent des miens. Entre le vagissement et le miaulement. Mes trois enfants ont dû pleurer aussi. Mes critères peu sûrs. Comme si j'avais passé ma vie ailleurs.

Je commençais à me demander si je n'avais pas régulièrement de ces sorties hors de moi-même. L'événement, la chose à laquelle semblaient se référer les Haïtiens de l'OLH n'aurait été qu'un événement parmi d'autres. J'étais peut-être sporadiquement doublé d'un autre Clavel qui sortait et rentrait sans trop avertir. Qui faisait des choses dont je n'avais aucun souvenir et revenait à ma ligne de vie ensuite sans mot dire.

Dormir. Il faudrait que je dorme. Le matelas dur, propre. Des draps fleuris à l'odeur de javelage. Autre chose aussi. Une odeur de roussi.

J'écris ceci dans l'espoir que me viendra au moins une lueur de reconnaissance. Je ne sais pas ce que j'ai vécu lors de cette rencontre.

Moi, Simon Clavel, j'ai fait quelque chose en rapport avec l'OLH dont je n'ai aucun souvenir.

Le fait de m'identifier régulièrement les agaçait plus qu'aucune autre phrase que je disais. Ce n'est certainement pas de mon identité qu'ils doutaient. De quoi doutaient-ils ?

Je disais mes phrases. Ils étaient stupéfaits mais refusaient une évidence. Ce n'est plus de moi qu'ils doutaient. Ils se sont mis à douter d'eux-mêmes. C'est maintenant que j'en suis sûr. Ils se sont peut-être reproché un manque d'envergure. Ou une imprudence grave. Je leur donnais peut-être des conseils dont la complexité était si grande qu'ils ne la saisissaient pas. Ou bien j'étais l'ennemi qui s'était infiltré au cœur de l'Organisation.

Je me dis qu'ils m'ont percé à jour sans trop savoir pourquoi je me dis ça. Albert d'Angoulême, qui écrivait beaucoup plus que les autres, a peut-être eu des lueurs de mépris dans les yeux quand je leur ai demandé s'ils projetaient l'assassinat de l'homme en question. Moi, je leur disais que sa mort serait plus dangereuse que sa vie pour le pays.

Ils ont dû se rendre compte de mon impertinence. Ils demandaient l'avenir à un miroir. L'image d'eux qu'ils y voyaient leur donnait des frissons. Ils avaient peur. Je l'ai su.

Déjà à Sainte-Luce, je m'étais dit que ça sentait le piège.

Au fond, je sais de quoi il s'agit. Je sais de qui il est question dans cette affaire. Toujours lui. Toute ma vie, j'ai répondu à des appels pressants. Toute ma vie, j'ai senti le piège et je m'y suis jeté avec plaisir. Toujours aussi, j'ai cherché à me le cacher. Mais de plus en plus, je me mets à courir quand je reçois certains messages, certains signes de lui : une sorte de vitesse accélérée. Quand j'entends l'appel spécifique. L'appel reconnaissable. »

12

ICI POLICE :
TROIS HAÏTIENS FAUCHÉS
À LA PORTE DE LEUR JOURNAL

La police de la CUM se pose des questions sur le triple meurtre de la rue Forgue. Les coups de feu ont pu être tirés d'une maison de rapport située de l'autre côté de la rue. Il paraît que quatre hommes sont sortis du journal en même temps mais que le quatrième s'en est sorti indemne. Comme si la rafale avait fait le tour de monsieur Simon Clavel, journaliste au long cours, bien connu des Montréalais.

Monsieur Jean-Napoléon Terreneuve, rédacteur en chef de *La Voix des Haïtiens* éprouve une colère sourde. Notre reporter n'a pu tirer de lui que des sanglots de rage et de fureur. À la question : Pourquoi monsieur Clavel a-t-il pu s'échapper ? Jean-Napoléon Terreneuve n'a pu que hausser les épaules. Monsieur Clavel a-t-il pu être protégé par les tueurs ? Personne ne le sait pour le moment. Personne ne le saura peut-être jamais.

Notre reporter n'a pu mettre la main sur monsieur Clavel pour lui demander son avis. Le rédacteur en chef de *La Voix des Haïtiens* n'a pas répondu clairement quand on lui a demandé ce que faisait le grand Simon Clavel au local du petit journal de la rue Forgue. Il a répondu évasivement en appuyant cependant sur le fait que *La Voix des Haïtiens* n'était pas petite, que c'était une voix importante.

13

DES AIGUILLES PONCTUELLES
ICI ET LÀ

Mélusine, tu peins trop, tu fais trop de dessins. Tu sors trop la nuit. C'est la rage de vivre. Avoir besoin de rage. Besoin de se convaincre qu'on est libre. Montréal la nuit : sinistre et beau. Hier soir, avoir senti l'urgence de dessiner la nuit de Montréal. Avoir apporté sa tablette de dessin comme un antidote au sinistre étendu par plaques.

Ne pas avoir peur. Au cœur de Montréal, à trois heures. Quelques passants, quelques hommes qui l'appellent : Sexy. Avoir eu des envies de crier pour réveiller le monde. Il crie sur la ville comme il crie dans son cœur.

Avoir ressenti une solitude telle en dessinant la croix de la place Ville-Marie sur fond de croissant de lune que l'idée d'aller relancer Lassonde à son appartement lui est venue. Femme libérée, Mélusine. Femme libérée ne doit pas avoir besoin de Lassonde à ce point. Prends celui-là, de l'autre côté de la rue. Beau, blond, joyeux luron : qui te fait des signes de reconnaissance.

Te crie : Sexy à tue-tête. À réveiller le monde. Un Américain qui lui demande si elle couche. Souviens-toi que tu es libérée, Mélusine. Rien de ce qui est libéré ne doit te surprendre. Rien ne doit t'être étranger, rien ne doit t'être étrangère. Féminiser le monde entier. Ne plus jamais dire il sans dire elle. Ne plus jamais s'abstraire de rien. Couches-tu, Sexy ? Avoir continué de monter vers Sherbrooke, vers la montagne, vers Lassonde. La liberté devenue synonyme de solitude. Crier solitude, face au mont Royal du bout de la rue. Attendre l'écho qui ne peut pas ne pas revenir. La libération devenue synonyme d'esclavage. Le besoin de vivre, la rage de vivre. Des cris, des cris dans ce silence blessant de trois heures et demie du matin. Le temps qui ralentit quand arrive trois heures et demie. Regarder sa montre : les secondes collantes. Qui collent à la trotteuse de sa montre au quartz : remontée pour deux ans.

La caricature qu'elle a faite pour La vie en rouge a scandalisé Louise. Pourquoi elle ? Pourquoi la prendre comme sujet ? Une caricature pour l'anniversaire d'une mère et c'est elle sur la caricature ! Elle n'est même pas mère. Le torse de Louise qui sort d'un gâteau blanc. La tête allumée : comme un feu de Pentecôte. Rien que des lignes séparées, presque parallèles. Comment a-t-elle pu se reconnaître ? Mélusine l'avait en tête en dessinant. C'est l'œil qui est ressemblant, le regard de l'œil gauche surtout. Une peur, une insécurité. Trois lignes pour le regard de gauche et elle se reconnaît. Avoir un talent terrible. L'envie de ne plus faire que ça : des caricatures. Comme Daumier. Comme Girerd. Il faut que la caricature soit drôle. Qu'on rie jaune, mais qu'on rie !

N'avoir fait que ça toute la journée hier : des caricatures. Avoir commencé au moins dix belles toiles, dix toiles sérieuses : des toiles de sa vraie ligne, de son vrai style. Avoir senti tourner le style, avoir senti la ligne se tordre. Comme sous l'action d'un feu. S'être retrouvée à dix reprises devant une toile gâchée, tordue, fondue. Des horreurs lui sortaient des mains. Des peurs. Des visages forçaient. Pas des visages vraiment. Informes. Et pourtant, c'étaient des visages, des yeux, des bouches, des nez, des oreilles. Réarrangés. Pire que Picasso. Avoir pensé avec reconnaissance et repos aux visages déformés de Picasso, aux femmes qui pleurent, un sein d'un côté, un sein de l'autre, un œil rond, un œil disparu. Les siens se réarrangeaient plutôt selon Daumier, selon Bosch.

Aimer le soleil, aimer la pluie, aimer la lune, aimer l'amour. Il crie dans son cœur comme il crie sur la vie.

Sonner chez Lassonde. En morse. Avoir étudié le morse un été. Ne pas se rappeler son enfance, ne pas regarder en arrière. On n'apprend que du futur désormais. Braquer les yeux à l'horizon. L'horizon que contemplent les astronomes, au fin fond, serait une image telle quelle du premier instant du cosmos. Ne plus pouvoir regarder le futur sans voir le passé. L'hologramme cosmique. Tout est visible de partout.

Lassonde va répondre. La réponse électronique : la lumière qui ouvre la porte. Monter à son appartement dans les hauteurs. N'être venue qu'une fois mais se souvenir de tout : des meubles, du paysage découpé par la panoramique.

L'ascenseur rapide. Monter sans rien sentir : aucune secousse, pas d'émotion au cœur.

Le trouver ému : sa femme Marguerite est morte. Sa femme en instance de divorce. Un mariage presque blanc : c'est lui qui l'avait dit, une nuit de vent. Un mariage blanc cassé. Mais il a vécu dix ans avec elle, tous les jours. Elle n'aimait pas faire l'amour, elle était silencieuse. De plus en plus froide, de plus en plus silencieuse. Ce qu'il s'était mis à aimer d'elle, c'était ses ronflements, la nuit : quand elle était couchée sur le dos

et que le bruit qui lui sortait du fond du nez s'était mis à
lui faire penser à un vent sur une toundra à n'en plus
finir. Un vent perpétuel, même s'il ne l'entendait que de
temps en temps. Le vent était là, même s'il ne l'entendait
plus. Il aimait en elle ce lieu de passage du vent
perpétuel.

Elle est morte. Le dossier de Riverin sur sa table de
travail, il a du vent plein les oreilles. C'est visible. Ça lui
met du vertige dans tous les yeux. Même ceux qu'il a au
bout des doigts. L'art de toucher. L'art du toucher.

Il crie dans son cœur. Lassonde lui donne froid dans
le dos. S'il continue, elle va faire une caricature de lui.
Regarde sur sa tablette de dessin : rien que des lignes
serrées les unes sur les autres. On dirait un paquet
d'aiguilles à tricoter jetées au hasard. Pas au hasard,
Lassonde. Essaie d'en faire autant. Tu vas voir si c'est
jeté au hasard. C'est un arrangement cosmique. Regarde
ça : tu vois le passé, le présent et l'avenir.

Le sentir qui lui fait des caresses de plus en plus
précises. L'intensité ponctuelle. Compter les aiguilles
qu'il lui entre dans la peau ici et là : acuponcture. Un
savant réseau. Il a des mains pleines de style, Lassonde.
Il devrait renoncer à tout le reste. Qu'importe le dossier
de Riverin ? Puisque tout est dans tout ! Regarde l'avenir,
Lassonde. C'est le passé qu'on voit au fin fond de
l'horizon astronomique : la première image, l'espace
écrit du premier moment.

Sentir venir l'orgasme : le moment qui vaut toute la
peine, tout le style, toutes les aiguilles posées avec art et
science. Lassonde lui dit qu'elle a trop de théorie.
Recommencer plusieurs fois le grand Big Bang. En une
fraction de seconde, le cosmos s'est étendu à des milliers
d'années-lumière. Refaire l'expérience pour être sûrs de
la théorie et que c'est bien une image du premier
moment qu'on peut voir à l'horizon télescopique.

Lassonde a ouvert la porte à côté de la panoramique. Le vent des hauteurs à peine insupportable. Sortir sur le balcon pour voir le fleuve au loin et la croix de la place Ville-Marie prise dans les turbulences. Le croissant passe sous un nuage translucide. Avoir froid mais jouir de ce vent qui arrache les cheveux. Le soleil va pourtant se lever, Lassonde.

Où en est-il, Lassonde, dans le dossier Riverin ? Y comprend-il quelque chose ? Riverin a monté ce dossier parce qu'il s'est imaginé qu'il avait manqué l'essentiel en 1967. Un complot s'est tramé avant, pendant et après l'exposition universelle. Le complot dure toujours, selon lui. Il est sincère. Une sorte de complot perpétuel ? Un complot en suspension dans le monde ? Le complot ne pouvait pas ne pas aboutir et il n'a pas abouti. De Gaulle et Oliphant ne pouvaient pas ne pas être assassinés. Invraisemblable, Lassonde. Qu'est-ce qui n'est pas invraisemblable ?

14

LA RAFALE A VRAIMENT
SOULIGNÉ CLAVEL

« J'ai senti que les balles m'évitaient. Je n'ai pas pu me sortir d'une pareille rafale sans une décision de tireurs habiles. L'entrevue avec le directeur du journal avait été d'une banalité invraisemblable. Enrhumé, les yeux rouges, la sueur au front, il m'avait reçu dans une petite pièce enfumée près de la cuisine. Après m'avoir félicité, après m'avoir remercié, je n'ai pas su de quoi, il m'avait offert un cigare de grand luxe et m'avait posé des questions qui toutes semblaient se référer à autre chose. J'étais curieux. Porté à écouter plus qu'à parler. J'étais là, en face de lui. Ils étaient là, les autres : autour de moi. J'avais pourtant l'impression d'assister à un spectacle.

Ou bien j'étais en plein cauchemar. Il m'est arrivé, après quelques questions auxquelles je ne répondais pas vraiment, de me dire que je rêvais et que c'était inutile de m'en faire.

Je ne pouvais me résoudre à répondre aux questions ahurissantes que Jean-Napoléon Terreneuve me posait.

J'aurais pu être une puissance occulte versée dans les énigmes. Ils étaient tous là à me regarder, à lancer des devinettes à l'oracle. L'oracle, c'était moi.

Au bout de quelque temps, il m'avait offert un autre cigare, même si je n'avais pas allumé le premier. Il insistait pour que j'en mette un deuxième dans ma poche. La pièce était de plus en plus enfumée. L'exaspération donnait à leurs respirations, à tous leurs gestes, une allure saccadée à peine supportable.

« Pourquoi m'avoir demandé de venir ? »

J'avais décidé de le demander. J'ai vu leur désarroi comme on peut voir un nœud se défaire. Jusque-là, ils n'avaient pas renoncé à comprendre ce que je disais.

« C'est une question étonnante de votre part, Simon Clavel. Pourquoi êtes-vous venu ? Pourquoi avez-vous répondu à notre message ?

« Par curiosité. Pourquoi m'avez-vous envoyé ce message urgent ? »

« Enfin, Simon Clavel ! N'avez-vous pas manifesté un intérêt exhaustif pour notre cause ? »

« Tous ceux qui luttent contre la tyrannie... »

« Il s'agit de nous, pas des autres. Nous ne sommes pas intéressés aux lutteurs universels. Enfin Simon Clavel ! Nous sommes en droit d'espérer autre chose de vous après l'intérêt que vous avez manifesté pour notre cause. »

Je me sentais de plus en plus désintéressé de la cause en question. Curieusement, tout d'un coup, je n'étais plus attiré que par le montreur qui nous manipulait tous avec une grande désinvolture.

Jean-Napoléon Terreneuve m'a négligemment tendu la main sans se lever de sa chaise. Les autres s'étaient élancés vers la porte.

« Merci, Simon Clavel. Merci tout de même. »

« De quoi donc ? »

Je n'avais pas pu m'empêcher de le dire. Sorte de provocation de dernière minute.

« D'être venu. C'est déjà quelque chose. »

« Vous vous attendiez à quoi au juste ? »

« Comment dire, Simon Clavel ? Il nous avait semblé... qu'après... »

Albert d'Angoulême est sorti le premier, les deux autres l'ont suivi. Moi ensuite. Les balles sont venues d'une maison de rapport située de l'autre côté de la rue. Je le jurerais. Comme je pourrais jurer que c'est le sifflement qui les a fauchés. On les aurait dit hypersensibles au bruit. Heureusement que j'ai de bons réflexes. Je me suis retrouvé dans l'arrière-cour, à plat ventre, le front égratigné, le bras éraflé. J'avais couru en diagonale à une vitesse incroyable.

Après avoir sauté toutes sortes d'obstacles, assommé un chien, après avoir bifurqué, changé de direction plusieurs fois, je me suis retrouvé sur la rue Mansfield, surpris d'être encore en vie. Convaincu aussi que je le devais encore plus aux tueurs qu'à mes réflexes. »

15

REINE LALLIER A DÉCIDÉ
D'ÉCRIRE AU CHEF DE POLICE

« Moi, Monsieur le chef de police, je suis au courant de ce qui se trame sous le chapeau. Je sais qu'il y en a encore qui veulent assassiner le maire Oliphant. Je sers aux tables, ici, au restaurant *Au coin de montagne* et j'entends toutes sortes de conversations. Un bout par ici, un bout par là, une phrase à une table, une phrase à l'autre. Quelque chose de grave se trame en ville.

Si je vous écris aujourd'hui, c'est parce que vos gardes du corps ne m'ont pas laissée vous parler au téléphone. Les écrits restent, mais ils arrivent parfois trop tard. Espérons qu'il n'en sera pas ainsi de ma lettre.

Il y avait un homme ici, ce midi même, qui avait la fuite écrite dans le corps. Son habit avait des fils tirés partout et il avait des griffures dans le visage et sur les mains. Ses yeux fuyaient aussi, comme le reste. Comme il a payé avec sa carte de l'American Express, j'ai pu voir son nom. C'est Simon Clavel lui-même.

Un moment donné, il s'est mis à regarder le monde par en dessous. Il a même fait semblant d'être obligé de se pencher pour regarder derrière lui sans que ça paraisse. Il attendait un complice ou bien le complice l'attendait de son côté. Il s'est même levé debout avant d'avoir fini son café pour jeter un long coup d'œil tout le tour. Il ne se cachait pas. Au contraire même. On aurait même dit qu'il se mettait en évidence.

Rien ne s'est passé mais je me suis dit qu'un homme visiblement en fuite ne se met pas à faire le cabotin pour rien.

Il était en sueur et vraiment poussiéreux. J'ai vu tout ça. Le soleil était chaud pour le mois de septembre. On aurait dit qu'il était aveuglé par la lumière. Il fermait les yeux de temps en temps et sortait un carnet de sa poche pour écrire. Il a demandé une autre tasse de café. Ses yeux fuyaient comme s'il se posait des questions. On aurait dit un animal happé par la lumière que le chasseur lui plante dans l'œil.»

16

LA PREMIÈRE MISE AU POINT DU CHEF DE POLICE NIL LIVERNOIS

« Ce que j'en conclus pour le moment, c'est que Clavel s'est rendu au café *Au coin de montagne* comme ça, par hasard. Peut-être avec l'intention de déplacer ceux qui, à coup sûr, devaient le suivre. Il a fouillé le restaurant et les alentours des yeux et de tout le corps. Reine Lallier dit bien qu'il s'est penché, s'est levé. Un homme de l'envergure de Simon Clavel ne fouille pas un restaurant comme *Au coin de montagne* pour rien. Il n'y a pas de fumée sans feu, comme dit le proverbe québécois. Il faudrait que je me le fasse amener. Poliment, très poliment. On ne déplace pas Simon Clavel comme on déplace un homme ordinaire. Il se déplace tellement par lui-même d'ailleurs que ce n'est pas un déplacement de plus qui peut l'émouvoir. L'important, c'est de bien tenir les rênes de l'affaire en main.

Ces assassinats en face du journal *La Voix des Haïtiens* sont impensables. Il va pourtant falloir les penser quand même. Les balles sont venues de quelque part. Aucune trace de rien. Il faut que l'Organisation qui a fait ça soit infiniment puissante. Ici, on est puissant aussi : les fins limiers de la CUM n'ont rien à apprendre de personne pour ce qui est de la théorie et de la pratique. Ça, c'est sûr. Mais notre puissance n'est pas infinie : il faut se l'avouer en toute humilité.

Il n'y a rien comme de fréquentes mises au point écrites, pour atténuer le sentiment d'impuissance que je ressens quand mes détectives ne trouvent rien du tout. Rien de rien. Personne n'a rien vu et la maison de rapport en face n'est pas habitée du tout : fermée pour rénovations. Aucune trace de pas, aucune arme, aucune douille. Ils ont eu le temps de s'en aller, évidemment. Laisse au temps le temps de jouer, comme disaient nos ancêtres.»

17

UNE JOUISSANCE COSMIQUE PEUT AVOIR UNE CAUSE PEU SÛRE

« Je me sens éveillé, comme si je n'allais plus jamais dormir. Je suis tombé dans un piège. On m'a attiré à Montréal sous un faux prétexte. On a tracé autour de moi une ligne de démarcation sanglante. Quand les Haïtiens sont tombés autour de moi et que je me suis vu souligné, cloisonné, j'ai su que j'étais prédestiné.

Ce n'est pas à moi de me rapporter. On me protège pour une raison obscure. Obscure pour moi, mais pas pour tout le monde. On m'a choisi. C'est ce que j'en conclus. Et ce quelqu'un qui m'a désigné a la main leste, invisible et précise. On peut dire ça. Je me sens vu, exposé et pourtant libre. Si je voulais, je pourrais retourner rejoindre Hélène et les enfants à Sainte-Luce-sur-mer.

Je suis un bon mari, un bon père. Les apparences sont toutes pour moi. Même absent, je continue de pourvoir aux besoins de ma famille.

Ici, attablé dans ce restaurant ordinaire, je me sens tombé dans un piège dont je n'ai aucune idée. Toute ma vie, j'ai fait des reportages à travers le monde. J'ai une réputation mondiale. J'ai toujours eu des intuitions fulgurantes. Des intuitions terribles qui me venaient d'un sixième sens. L'art de me trouver au bon endroit au bon moment.

Je ferme les yeux pour voir si l'aveuglement ne disparaîtrait pas. À recommencer la même scène, on finit par lui donner une allure différente. Hélène à Sainte-Luce ne m'a jamais fait de reproches. Tout l'été, j'ai fait semblant de vivre, de rire, de jouer, de me baigner. J'ai fait semblant d'être un mari convenable, un père attentif. J'ai fait semblant d'écrire cet essai sur le journalisme de pointe. Que j'aie empilé cinq cents pages serrées ne change rien au fait que j'ai fait semblant d'écrire. Face au fleuve, le soir et même la nuit, emmitouflé dans une grande chaise de bois, j'attendais. De jour en jour plus animé par une jouissance cosmique anormale. La lettre des Haïtiens est tombée dans une solution sursaturée.

La curiosité me perdra sans doute. Le monde est sordide mais je l'aime. Les reportages que j'ai faits dans tous les lieux brûlants me sont restés sur le cœur. Sur le corps aussi : j'ai des cicatrices, des marques de toutes les couleurs. Même les gènes ont été touchés irrémédiablement. J'ai changé de nature peut-être. La normalité des gens normaux me paraît souvent drôle. Je me retiens de toutes mes forces certains matins de vendre la mèche. Comme certains émancipés, certains civilisés, certains évolués ont envie de dire aux primitifs de cesser de craindre le dieu : mangez du poisson, traversez la ligne du clan, refusez les rites douloureux de l'initiation, de la fibulation. Le Père Noël n'existe pas.

Si tous mes voyages s'étaient marqués sur le globe, la terre serait méconnaissable. Moi, je la reconnaîtrais. La seule terre à mon goût. »

18

LASSONDE A L'IMPRESSION DE VOIR LE PANNEAU OÙ EST TOMBÉ CLAVEL

« Le chef de police de la Communauté urbaine de Montréal n'aurait pas voulu attacher d'importance à la lettre de Reine Lallier. Il est en poste depuis très longtemps et toute son attitude dans cette affaire et dans certaines autres aussi tendrait à prouver que cet homme-là se trouve reposer sur la pointe fragile d'un événement inavouable. C'est moi qui le dis. Je suis seul avec le dossier et ce que j'écris restera, du moins pour l'instant, aussi secret, aussi personnel que mes pensées.

L'écriture de cette note est pleine de frémissements. Il voulait rire de la présomption de Reine Lallier, il ne pouvait s'empêcher de savoir que si la présence de cet homme en fuite lui était signalée à lui personnellement, c'est que la ligne de vie de cet homme en fuite recoupait la sienne quelque part. Que cet homme soit Simon Clavel flattait son orgueil. Moi, j'ajoute que le chef de police a senti la fine pointe de sa pyramide renversée bouger, au moins confusément. J'ai besoin de géométrie pour comprendre ce dossier.

Que cette fille, cette serveuse, lui signale un homme en fuite, comme ça, à lui, le chef de police lui-même, lui paraît monstrueux : c'est ce qui l'attire. Pourquoi ne pas venir lui dire que son chat est monté trop haut dans l'arbre et n'est plus capable de redescendre ?

Une autre note de la même encre et de la même nervosité, probablement écrite tout de suite après, n'est qu'une adjuration : « Cesse de penser carré, Nil mon ami, carrément cesse de penser à cette serveuse. À l'autre chose aussi. À l'autre chose surtout : la grande, la grosse, l'importante chose. »

Les pièces de ce dossier sont mêlées. Certaines sont datées, d'autres pas. La première chose à faire, c'était une sorte de manipulation intense. J'ai pris les feuilles l'une après l'autre et après les avoir au moins regardées, sinon lues, je les ai posées à ma gauche. Sans les lire attentivement. Je les regardais plutôt, comme on peut regarder intensément une photo ou un dessin.

Ensuite, j'ai fait un certain classement mais sans déplacer le faux ordre qu'avait préconisé le conseiller Riverin. Un doute pouvait demeurer quant à l'authenticité de plusieurs pièces. Le conseiller avait parfois mis une date en rouge que je trouvais tout à fait indéfendable.

L'écriture du chef de police a quelque chose de reconnaissable partout. Quand il n'a pas daté ses petites notes directement, il les a datées autrement. Par toutes sortes d'allusions à autre chose.

Le jour où il reçut la lettre de Reine Lallier, son écriture est nerveuse, ébranlée. Je peux tirer une conclusion temporaire : cette sorte d'écriture est la marque d'une nervosité spécifique. Il lui arrive, ailleurs dans le dossier, d'avoir une écriture presque illisible mais l'ébranlement n'est pas aussi profond. Ce jour-là, le chef de police a senti sa pointe bouger. Et chaque fois que le chef de police aura cette écriture, je pourrai me dire, sans en être tout à fait sûr, que je touche au cœur de l'affaire.

C'est une chose que je ne m'étais pas dite tout de suite. Au premier classement, on cède à des intuitions pures et simples. On ne raisonne pas vraiment.

Chaque fois qu'il était question de la dame en jaune avec son chat en laisse et de la petite vieille qui les suivait, je mettais un cercle jaune dans le haut de la feuille. Chaque fois qu'il était question d'Œil ou d'iris, de lunettes ou d'Œil de verre, je traçais un Œil égyptien au crayon noir. Histoire de paysager un peu le dossier. Je ne lisais pas vraiment, je regardais les feuilles quelques instants. Sorte de lecture plus que rapide : sorte de photographie que je prenais du texte.

Les mots qu'on cherche se mettent à prendre du relief. On les détecte. C'est ainsi que j'ai pu me rendre compte qu'on parlait beaucoup de l'Œil et que l'Œil était peut-être à la base de la pyramide renversée du chef de police.

Ce qui m'est venu à l'esprit ensuite, c'est que tout le dossier prenait cette allure.

Après une première évaluation rapide et arbitraire, j'avais déjà conclu qu'à la fine pointe se trouvait un Œil, un complot international. Là convergeaient des puissances et des contradictions. C'était une première conclusion : je ne m'étais même pas donné la peine de la mettre en doute. Je l'avais posée comme douteuse en partant. Ce soir-là, le soir du premier classement, j'avais dormi d'un sommeil ajouré, plein de rêves coupés et de sursauts. Après avoir dessiné des pyramides renversées dans mon cahier d'exercice, dans le cahier où j'écris encore aujourd'hui, j'étais allé me coucher sans manger, épuisé et comme hanté par ces figures géométriques. Je m'étais essayé à toutes sortes de pyramides. Certaines avaient plutôt l'air d'obélisques à l'envers, d'autres de bols à salade.

En rêve, ça bougeait, ça s'empilait, ça s'illuminait. D'un rêve à l'autre, toutes les pointes se faisaient dangereuses.

Je ne veux me couper d'aucun réel. Autant m'installer à demeure, pour tout le temps que durera mon enquête, à ce point effrayant dont on ne sait s'il est d'esprit ou de matière.

Je me pose là à la pointe : avec l'Œil. Du moins, je pense que l'Œil, quel qu'il soit, est à la base de toute l'affaire et la raison de tout le dossier.

Que Clavel soit l'Œil m'est venu à l'idée. Si Clavel n'est pas l'Œil, il a quelque chose à voir avec l'Œil. Je peux le penser au point où j'en suis dans l'étude du dossier. Le chef de police dit bien qu'il a ressenti une certaine parenté de Clavel avec sa ligne de vie. Et la ligne de vie du chef de police est en forme de pyramide renversée.

Clavel a-t-il des relations connues avec l'Œil, s'il en a ? Des relations conscientes ou inconscientes ? Je n'en sais rien. Une chose semble certaine : Clavel déplace des forces. Mais on ne sait pas toujours ce qu'on déplace, ce qu'on dérange, ce qu'on catalyse. Si on savait ce qu'on évoque dans l'esprit des autres, ce qu'on se met à provoquer de tremblements nerveux, on serait surpris. Tous. Même Clavel serait surpris. C'est ce que je pense, pour le moment.

Ce qui me frappe le plus chez Clavel, jusqu'ici, c'est son incroyable candeur. Ou bien c'est une candeur voulue. Il arrive à certains journalistes qui, comme lui, ont trop sillonné le monde, trop rapporté de guerres et de catastrophes, trop su les dessous des événements, trop élaboré de versions pour la nue vérité, de vouloir continuer de courir, de prendre de la vitesse, conscients de l'impossibilité où ils sont désormais de ne pas savoir ce qu'ils savent.

Conscients que là où ils sont rendus, ils ne peuvent ni vendre la mèche ni se réfugier dans le cynisme. Les journalistes comme Simon Clavel choisissent souvent la candeur. Mais leur candeur n'a pas grand-chose à voir avec la candeur des enfants qui ne connaissent pas le danger. C'est une candeur nouvelle, la candeur de ceux et de celles qui n'oublient pas ce qu'ils savent et continuent de vivre.

Clavel peut-il faire semblant d'être candide? Après avoir vu les Haïtiens fauchés autour de lui, normalement il aurait dû retourner au sein de sa famille. Un homme normal serait-il allé s'asseoir à la table du restaurant *Au coin de montagne?*

Après des années de reportages multiples, Clavel ne peut plus ne pas voir le dessin d'un événement, il ne peut plus s'empêcher de le prévoir, de le détecter. Clavel est devenu une machine de précision. En toute candeur nouvellement inventée, il fonctionne à plein rendement, quel que soit le lieu où il se trouve.

À Sainte-Luce, il a écrit cet essai sur le journalisme de pointe. Il dit dans son *journal* qu'il a fait semblant d'écrire cet essai.

Que l'écriture de cet essai ait été un succédané à l'action, c'est possible. Mais au point où en est Clavel, sa machine de précision fonctionne tout le temps. Des bits d'informations lui viennent de partout. Il est branché en permanence sur le monde.»

19

CLAVEL MARCHE VITE COMME S'IL ALLAIT QUELQUE PART

Clavel marche lui aussi. Montréal au cœur. Montréal sur le cœur. Il n'a jamais signé de contrat exclusif avec aucun journal, mais c'est *La Nouvelle Presse* de Montréal qui a toujours fait l'objet de ses complaisances. Sourire. Se sourire. Se sentir sourire de l'intérieur.

Il marche vite comme s'il allait quelque part. Le petit matin et cette fille de l'autre côté qui écrit sur une petite tablette. Ou qui dessine.

Traverser la rue. Lui parler. Aller à sa rencontre. Des autos partout déjà. Le matin tout d'un coup. Le soleil au fond de l'Est. Le soleil dans l'œil. L'Œil qui le regarde. Il l'a autant aimé que haï. Drôle à dire. Qui le premier lui a parlé de l'Œil? Édouard Médus, le journaliste aux cheveux collés sur la tête. Jamais dépeigné. Il provoquait le rire et l'envie. Les cheveux comme des fils de fer. Quelqu'un avait emporté un aimant un jour pour voir si les cheveux s'aligneraient. C'est lui qui lui avait lancé, en plein putsch sud-américain, que c'était signé. Signé ? Signé l'Œil, oui. Qui c'est l'Œil ? Le chef du terrorisme international. Un genre de multinationale du crime ? Clavel ne l'avait pas cru. Quelqu'un l'a vu ? On ne voit pas l'Œil. On le sent. Un fou rire l'avait pris. Un journaliste d'envergure dire des choses comme ça. Du pur roman de science-fiction, du fantastique ! On dit ça, oui, on peut dire ça. L'Œil de Caïn qui le suit jusque dans la tombe, autrement dit ?

Médus avait eu de l'émotion en prononçant le nom. Ils étaient face à face dans un petit restaurant bâti sur un volcan. Ils entendaient encore des détonations à tout moment. C'est signé. Édouard Médus était ému comme s'il s'agissait d'une vieille connaissance qui aurait pris le pouvoir. Son air ahuri, son sourire ému. Si l'Œil existe, c'est un être maléfique. Pourquoi le sourire ému ? La haine est proche de l'amour, Clavel. Non, pas ça, pas à lui, pas ici ! L'attrait pour les grands monstres, les grands criminels, la ferveur réfugiée chez les terroristes, merci pour lui : non merci. L'Œil se serait acoquiné avec la mauvaise conscience d'après ce que Médus lui en disait. Trop facile de se bâtir un Œil mauvais. Trop facile comme alibi. Trop commode. C'est pas vrai, c'est pas notre faute, c'est lui, c'est lui qui est responsable ! Il manipule tout le monde !

Le sourire de Médus avait eu des lueurs mauvaises. En le regardant mieux, il était même dépeigné, pour une fois.

Signé : Mélusine. Elle a fait une caricature de Clavel. Un cadeau. La suivre. Essayer de continuer la conversation. Pourquoi lui avoir dessiné un œil à grandeur de tête ? La nouvelle mode. Le nouveau regard. Le « new look ». Cesse de courir. Il veut te parler. Rien que te parler. Justement. Les hommes qui ne font que parler lui tombent sur le cœur. Serre la main d'un homme d'action. Est-elle envoyée par le destin ? Sûrement pas. Elle est libérée de ça depuis longtemps. Cesse de marcher

à côté d'elle. Elle a quelqu'un dans sa vie, c'est normal.
Personne dans sa vie, personne. Anormale mais vraie.
Elle l'a mangé dans le sein de sa mère, l'autre. Cesse de
dire des choses comme ça, Mélusine. Regarde-le un peu.
Si elle voulait, ils pourraient s'entendre tous les deux.
Pas d'oreilles pour lui. A-t-elle l'oreille des puissances
du mal ? Quelle idée ! Cesse de la suivre. Pas question
qu'il entre. Elle a bon cœur pourtant. Quand on est
libérée, on n'a peur de rien ni de personne. Il veut voir
ses œuvres : toutes les autres. Il lui en achètera une.
Promis. Son prix sera le sien.

Un énervement. Son appartement qui sent le poisson
et les algues marines. C'est son sel de bain qui sent ça.
Beaucoup de géométrie on dirait. Bourrée de talent. Lui
aussi. Qu'est-ce qu'il fait quand il travaille ? Il écrit des
reportages de pointe partout dans le monde. L'Œil,
c'est lui. Évidemment.

Faire l'amour ou non avec Simon Clavel. Un beau
souvenir pour quand elle sera vieille le soir à la chandelle.
Si m'en croyez, cueillez dès aujourd'hui les roses de la
vie.

Acuponcteur malhabile. Pressé, on dirait. Coup de
force. Ce qui l'intéresse, Simon Clavel, c'est l'après
coup. On dirait que le coup lui échappe. Elle serait
curieuse de lire le reportage de ce coup de force-là. Il est
le cerveau qui enregistre. Elle se sent enregistrée :
dûment enregistrée. Écris-lui un reportage. Autrement
elle lui fait un coup de force dont il ne se relèvera pas.
Les dents de la mer, c'est elle. Pourquoi a-t-il un si
grand nez ? Écris-lui un reportage. Elle a fait ton
portrait. Dis-lui d'abord pourquoi tu lui as dessiné un
œil à grandeur de tête. C'est la mode. L'œil se porte au
milieu du front. Dorénavant, c'est l'œil polyvalent qui
est prépondérant. Tous les autres sont tombés en
désuétude, en obsolescence.

A-t-il faim ? Écris-lui un reportage sur ce coup de force en chambre close. Trouve les raisons de cet échec. Son échec ? Son échec ! Il lui écrit un reportage ou elle le cale sous la mer des Sargasses. Pendant qu'elle prépare du bacon et des œufs. Non, pas ça ! Pas de bacon, pas d'œufs. Rien que du pain et du miel. Il lui fait l'effet d'un cerveau hypertrophié. Le reste en souffre, c'est évident. C'est laid un cerveau. Elle en a vu quand elle a commencé son cours de médecine. C'est visqueux, ça ressemble à une méduse. C'est menaçant à voir. Quand on pense qu'on a ça sur les épaules.

Le fou rire bienfaisant. Clavel a pris la tablette à dessiner et cherche à écrire un poème pour Mélusine : donnant donnant. Elle lui donne un dessin, il lui donne un poème.

Le monstre au mur ne l'avait pas frappé d'abord. De la géométrie. Encore de la géométrie. Un entrelacs de toutes sortes de lignes de toutes sortes de couleurs. Comment un pareil fouillis de lignes peut-il avoir un air ? L'air de quelque chose, l'air de quelqu'un.

> Des abîmes s'ouvrent sous tes pas Mélusine
> Plus aucun contrôle sur l'univers
> Ne cherche plus l'objet de ton angoisse
> Intouchable à l'avenir

C'est ça qu'il lui a écrit ? Rien que ça ? C'est un reportage qu'elle veut. Pour elle toute seule.

Cesse de rire Clavel. Simon Clavel de réputation internationale. Infamie internationale. C'est par lui qu'on sait tout ce qui se passe de mal dans le monde. C'est pire encore. On dirait qu'il sait d'avance tout le mal qui va se passer. On sait l'avenir quand on lit ses articles. Et lui, il n'a l'air de rien. Assez beau, dépeigné au possible, assez vieux, assez assez. Il trouve de belles images pour parler des choses tristes et laides. La plupart du temps, il y a une partie de ses reportages qu'elle ne comprend pas. Toujours quelque chose qu'elle ne comprend pas. Ça luit dans le noir, cette partie-là. La dernière partie ou bien l'avant-dernière. L'avant-signature. La signature intégrée. Elle comprend ça pourtant, la signature intégrée. Il lui est arrivé de se dire que ce qu'elle en arriverait à vendre ce serait sa signature, pas autre chose. Certaines toiles où il n'y avait que des géométries, elle a vu ça, elle a senti ça. Sur le coup, elle n'avait pas conscience du signal qui s'était déclenché quelque part, vers la fin. Ensuite, elle se mettait à le voir. Après coup, elle aussi. Ça lui arrive d'écrire des choses qu'il ne comprend pas lui-même ? Ça lui arrive à lui aussi ? Dis-lui qu'elle n'est pas la seule à qui ça arrive. Ça lui arrive de savoir après coup seulement ce qu'il a écrit ?

Clavel ne rit plus. Il considère le monstre en face de lui : les lignes monstrueuses. Le monstre ligné, interligné. On ne sait pas où il est au juste : il est là. Dommage qu'il soit si grand. Elle a fait des gravures de lui. Des gravures de lui ? Oui, des gravures de lui. Numérotées. Elle a la manie des chiffres et des numéros. Ton coup de force a été pesé et chiffré. Combien ? Une fraction. Un reportage sur la chose elle-même aurait pu faire monter la cote. Son petit poème ne lui va pas à la cheville. À la sienne non plus. Elle n'a jamais eu de contrôle sur l'univers et elle connaît l'objet de son angoisse. Dis-lui l'objet de ton angoisse, Mélusine. Plus elle se libère, moins elle est libérée. Elle a dû perdre l'essentiel de son coup de force en le faisant. Fais-lui un reportage Clavel. Il aurait fallu qu'il soit présent à ce moment-là. Quelle idée ! Il prévoit l'avenir, il n'a qu'à prévoir le passé.

Elle reprend toujours les mêmes thèmes, Mélusine. Elle n'a que le mot libération à la bouche. Change de mot. C'est ça, son reportage ? Elle a la rage de vivre. Sa grand-mère a eu la rage de vivre elle aussi. Et son

arrière-grand-mère aussi. Le vendredi saint, elle avait
les stigmates du crucifié : elle mangeait du pain et de
l'eau, debout dans la porte. Elle avait vraiment des
stigmates ? Quelle question ! C'était tout comme : elle
vivait avec le Christ et mourait avec lui ce jour-là. Tous
les autres jours aussi, mais surtout le vendredi saint.
Elle avait hâte de mourir en dernier : pour Le voir face à
face. Pour revoir ses trois petites filles mortes la même
semaine de la diphtérie. Elle a eu la rage de vivre tous
les jours, sauf en dernier où elle se laissait aller à avoir
hâte de Le voir enfin face à face : Lui. Mélusine a la
nostalgie de la foi. Elle avait hâte de mourir à la fin, son
arrière-grand-mère, pour Le voir face à face ! Enfin la
rencontre avec Lui, après avoir tant vécu en sa présence.

À la fin de sa phrase, Mélusine a levé les yeux vers le
paquet de lignes en face d'elle. Une gravure de Bouhou ?
Non, il n'en veut pas. Il a le portrait que Mélusine a fait
de lui : la caricature. C'est assez. Dis-lui au juste pourquoi tu l'as fait en cyclope. Elle ne le sait pas. Elle ne l'a
pas su en le faisant, elle ne le sait pas après coup non plus.
Pourquoi ça l'excite d'être dessiné en cyclope ? À cause
de l'Œil en personne. Qu'est-ce qu'il en sait ? Rien. Le
bruit court que c'est un volcan qui aurait repris son
activité. Pourquoi un volcan ? Parce qu'il aurait été des
années inactif et aurait recommencé à agir.

Elle fait semblant d'être voyante, Mélusine. Elle
simule. Mélusine se roule, recommence à menacer de
jouer son rôle de dents de la mer. Clavel s'est rhabillé.
Elle mange des pommes fameuses l'une après l'autre en
les comptant. Elle lance les cœurs dans l'évier de la
cuisine : de biais vers la gauche. Ça demande de l'œil.
Clavel l'a foudroyée. Cesse de prononcer ce nom-là
sans vergogne.

Sans vergogne ! Elle ne sait pas ce que ça veut dire ?
Qu'il descende de ses grands chevaux, Simon Clavel !
Qu'il cesse de se prendre pour un autre. Il ne se prend

pas pour un autre, hélas! Il se prend pour lui-même. C'est pire.

Elle regarde Bouhou. On peut se promener entre les lignes. À force de le regarder, les lignes se sont mises à vibrer, à se déplacer, à s'ouvrir et à se fermer comme des lattes de persiennes. Une fatigue s'est abattue sur elle. Nuit blanche, matin blanc, amour blanc. Le tir à blanc de Simon Clavel.

Une moue entre le mépris et la haine pour cet homme occupé. Toujours occupé. Les gens disent de lui qu'il est l'homme le plus occupé du monde. Quand on couvre les catastrophes à la grandeur de la terre et du cosmos en général, on est occupé. Et son reportage? Il ne sait pas quoi dire. L'envie de rire, oui, mais de la maîtrise. Ne pas. Pas drôle.

Il a une beauté, Clavel. Bien peigné, il a une beauté. On dirait un équilibre sur le point de se rompre. Il a les bras trop longs, on dirait. Les bras en l'air! Pour voir ce que ça donne. C'est mieux: moins simiesque. On dirait une cariatide qui empêche le ciel de tomber. Il a une beauté quand il oublie de se prendre pour lui-même. On dirait un nouveau Clavel dans une chambre ouverte. Ici, c'est une chambre close. Oui, mais elle a Bouhou en face d'elle. Il est fait tout en persiennes: des lattes, des lattes, des lattes, qui s'ouvrent de temps en temps et elle voit de l'autre côté. L'autre monde? Non. L'autre côté de ce monde. Bouhou ressemble à Clavel: une sorte d'hologramme. Sa tête donne une bonne idée de ses pieds et vice versa. Presque tout est dans presque tout.

20

LE CONSEILLER RIVERIN AVAIT SENTI VENIR QUELQUE CHOSE DE GROS EN 1966

« Comprends-moi bien, Lassonde. Je ne suis pas le seul à vouloir connaître la vérité.»

«La GRC et la CIA. Le Deuxième Bureau et le Troisième.»

«Ils ont fait leur propre enquête, évidemment.»

«Quand?»

«Il y a longtemps. Mais ils y reviennent toujours. Comme une langue dans une dent creuse.»

Riverin continuait d'être le conseiller du maire Oliphant, mais il y avait un malaise mou entre eux depuis qu'une secrétaire très compétente s'était infiltrée dans les bureaux.

Lassonde aurait voulu que Riverin lui dise quelque chose du dossier. Aux questions directes qu'il lui avait posées sur l'opportunité d'une telle enquête, il était devenu volubile. Surtout qu'il s'était laissé aller à revenir à l'année 1966.

Le restaurant était divisé en petits coins chaleureux où ils avaient l'impression d'être dans l'intimité la plus stricte. L'exposition universelle lui avait laissé un seul souvenir. Quand il s'était mis à penser pour lui tout seul, Lassonde avait un peu parlé des pavillons thématiques pour rétablir le son. Riverin avait eu un nœud entre les yeux qui en disait long sur l'oubli profond où étaient tombés les pavillons, les réceptions, les concerts, tout. Les millions de visiteurs, les milliers de journalistes : engloutis. Et pourtant, cette chose qu'il avait entre les yeux datait de l'exposition universelle. Elle datait peut-être de l'année 1966 où se préparait l'événement. Il avait prononcé le mot événement comme s'il lui confiait un secret. C'étaient pourtant des centaines de millions d'humains qui avaient entendu parler de l'exposition universelle de 1967. Pourquoi le chuchotement ?

Le conseiller Riverin allait partir pour une année sabbatique en Europe et il lui confiait le dossier comme il lui aurait confié un secret qu'il ne pouvait pas emmener avec lui, un poids dont il voulait se délester pour prendre des vacances.

« Il s'est passé quelque chose de gros, Lassonde. Un complot monstre. Un projet d'assassinat qui ne pouvait pas ne pas réussir. »

« Raté pourtant. »

« En un sens oui. Ils ont échappé à l'assassinat. Oliphant et de Gaulle ne sont pas morts cette année-là. »

« Le maire Oliphant était au courant. »

« Il était au courant et ça le rassurait que le complot soit monstrueux. J'avais des centaines de projets d'assassinats dans mes dossiers. Un jour, j'ai eu une appréhension terrifiante : c'est la monstruosité même du complot qui rassurait Oliphant. »

« Avais-tu plus qu'une rumeur ? »

« Au début, rien qu'une rumeur. Aucun indice. Seulement une rumeur sous-marine, une rumeur souveraine. »

Il s'était mis à chercher ses mots. Il en serait arrivé à regretter sa décision de partir en vacances. Depuis tant d'années, comment avait-il pu ne rien trouver de précis ?

« J'ai eu vent des enquêtes du Deuxième Bureau et de la GRC. De Gaulle a bien failli ne pas venir. Le Deuxième Bureau a bien failli réussir à l'en empêcher. Ils n'ont pas réussi à l'en empêcher. »

« Et l'autre ? La GRC a trouvé quoi, comme complot ? »

« Une bombe. Ils ont, paraît-il, trouvé une bombe. Puissante, mais désamorcée. Très puissante, mais complètement désamorcée. »

Le conseiller Riverin avait eu des relations serrées avec le chef de police Livernois, cette année-là. Lassonde, lui, en voyant le conseiller encore ému après tant d'années, se disait qu'il aurait peut-être du plaisir à continuer de faire des fouilles dans ce dossier monstrueux.

Riverin s'était senti malheureux de confier un pareil échantillonnage de notes disparates à son ami. Lui qui était toujours d'un ordre méticuleux. Il lui avait semblé qu'il ne fallait pas faire d'ordre, qu'il ne fallait pas imposer un ordre de l'extérieur. Il ne voulait à aucun prix perdre le seul moyen qui lui restait de savoir la vérité.

Lassonde eut l'impression, à un moment donné, que le maire et le chef de police avaient caché l'essentiel à Riverin. L'impression nette qu'ils s'étaient mal conduits envers lui. Il se demandait pourquoi.

Le conseiller, après toutes ces années de recherches, parlait toujours d'essentiel : d'essentiel qu'on lui aurait caché, volontairement ou non.

« Le Deuxième Bureau avait été mis au courant de la découverte de la bombe désamorcée ? »

« Je ne sais pas. Ça n'a pas d'importance. »

« Le Deuxième Bureau devait bien avoir des raisons graves pour songer à demander à de Gaulle d'annuler son voyage à Montréal. »

« La CIA était la plus acharnée dans cette affaire. Ils continuent l'enquête. Ils continuent eux aussi. Ils ont cru s'apercevoir d'une ressemblance frappante entre un complot monté chez eux et le complot monté contre Oliphant et de Gaulle. »

Lassonde écoutait ce que continuait de dire Riverin mais une grande extravagance semblait s'être mise de la partie. Complots monstres, complots jumelés, triplés. La CIA ne réussissant pas à comprendre le complot de Washington avait décidé de venir analyser celui de Montréal. Pourquoi celui de Montréal avait-il échoué et celui de Washington réussi ? Ils enquêtent à Montréal, histoire d'avancer sur une ligne parallèle ou presque parallèle, puisque leur ligne à eux est bouchée.

Riverin partait en vacances : il en avait gravement besoin. Le conseiller en était à lui parler de rapporteurs anonymes qui, paraît-il, s'étaient multipliés juste avant l'ouverture de l'exposition et juste avant la visite de de Gaulle. Le chef de police recevait lui-même ces appels et le conseiller s'était laissé aller à penser qu'ils n'étaient peut-être pas aussi anonymes que le chef voulait bien le

faire croire. Que le chef Livernois se soit vanté sans
frémir d'avoir retiré des armes de précision d'appartements
inhabités avait laissé le conseiller Riverin abasourdi. Et
cet état ne semblait pas l'avoir quitté depuis.

« Un jour de mars 1967, quelqu'un est entré en
contact avec moi. Au téléphone.»

Il aurait dû se réjouir de cet appel. C'est à lui enfin
qu'on s'adressait et pas aux autres. On ne le laissait plus
de côté, on lui faisait part de certaines choses, à lui
aussi. Il n'avait pas l'air réjoui.

« Il m'a dit, comme ça, que douze tueurs seraient
mêlés à la foule et tireraient ensemble sur Oliphant et
de Gaulle. Comme ça, Lassonde. Il m'a dit ça! Sans se
nommer évidemment et l'accent français était plus que
forcé.»

Il avait mordu dans tous ses mots. Le Deuxième
Bureau avait bien pu acheter les services d'un Québécois.
Évidemment.

Lassonde était songeur. Ça lui paraissait normal de
contrefaire son accent quand on fait un appel plus ou
moins anonyme.

« Un Français se ferait passer pour un Français en
forçant son accent? Il se ferait passer pour un faux
Français? C'est ça que tu veux dire, Lassonde?

« Ça me paraîtrait du grand art pour un Français
d'avoir l'accent d'un faux Français, ou pour un Québécois
d'avoir l'air d'un Français au faux accent.»

Il n'avait pas souri, le conseiller. Il finissait son café.
Ensuite, il s'en irait à l'aéroport et Lassonde ne pourrait
plus lui parler aussi facilement. On ne téléphone pas en
Europe souvent. Il n'aurait plus que les feuilles semées
partout dans le dossier. Il a pressé Riverin de lui donner
ses conclusions, si improbables, si floues qu'elles puissent

lui paraître. Après tant d'années de ressentiments et de réflexions, il devait bien avoir tiré quelques phrases prégnantes de tout ça.

« Je n'ai rien su au juste, Lassonde. Personne n'a su l'essentiel de l'affaire. Les autres n'ont rien su non plus. Le maire Oliphant et le chef Livernois m'ont assuré qu'à Paris, à Ottawa et à Washington, ils en savaient encore moins qu'à Montréal. C'est textuel, Lassonde. Ils sont comme ça. Appuie-toi là-dessus pour monter un dossier. »

« Ils avaient tous su quelque chose de la bombe. »

« Personne n'a su l'essentiel : ni eux ni moi ni personne. »

Il partait pour l'Europe et Lassonde resterait seul avec le dossier.

Prêt à se lever, les deux mains posées sur la nappe, il s'apprêtait à dire quelque chose d'encore plus gros : peut-être quelque chose d'encore plus monstrueux.

« J'ai été suivi en venant ici, Lassonde. Il faut que tu le saches. Ce dossier n'est pas un dossier de tout repos. Je te laisse aussi tous les curieux intéressés au montage que tu en feras. »

21

S'ENVOLER, C'EST FLEURIR
ET VICE VERSA

Riverin sort du restaurant et prend un taxi pour l'aéroport. Partir. S'en aller. S'être trouvé un bon prétexte : recyclage en droit international. Ne pas vouloir penser au dossier ni à Lassonde. Se libérer l'esprit. S'envoler.

C'est le crépuscule. Le crépuscule sur la terre. Chaque fois qu'il pensait au monde, il ressentait une sorte de délivrance. Une planète perdue dans l'espace. Rien là de rassurant mais quand même un repos. Oublier le maire Oliphant, oublier le chef Livernois, oublier le conseiller économique, oublier ses plantes.

Pendant des années avoir fait fleurir des plantes à volonté. Avoir eu ce don en abondance. Lui venaient de loin toutes sortes de mots isolés qui se greffaient sur la phrase en cours. Il tenait ce don de sa mère, qui avait depuis toujours parlé aux plantes. Des voisines, des amies de toutes les parties de la ville lui apportaient de pauvres cotons presque inertes. Elle les prenait sur elle :

c'était son expression. Et les plantes se mettaient à
revivre et à fleurir.

Avoir ce don en surabondance. Pendant des années,
avoir réussi à faire fleurir tout ce qui, de près ou de loin,
pouvait fleurir. De près ou de loin! Même pour ce qui
ne fleurit qu'une fois tous les dix ans, il réussissait à
faire advenir la floraison à volonté. S'en faire accroire.
Amplifier ce don qui tenait lieu d'un autre don qu'il
n'avait jamais eu : faire fleurir des femmes à volonté.
Un coup au cœur. En ces années de féminisme, ce n'est
pas une chose dont on pourrait parler ouvertement. Il
refuse de penser à Marie-France, il refuse de penser à
toutes les autres qui avaient cru pouvoir entrer dans sa
vie et ne pas fleurir. Elles avaient toutes refusé la
floraison forcée. Une rage le prenait de temps en
temps : il s'en défendait du mieux qu'il pouvait.

Arriver à l'aéroport deux heures à l'avance. Pour
être sûr d'avoir une place près du hublot. Mirabel
presque désert. Déjà des passagers pour son vol. Il n'est
pas le premier. Poser ses trois sacs à ses pieds. Des sacs
légers, souples. Avoir appris qu'il faut savoir voyager à
lège. Son père avait beaucoup voyagé. Toute sa vie dans
les viandes. Un grand boucher. Soit dit sans horreur. Et
pourtant, il avait toujours ressenti ce commerce de
viandes comme une sorte de malédiction. Même si
l'argent où toute la famille baignait venait de là.
Toujours des tendances à être végétarien. Encore aujourd'hui, n'aimer rien tant qu'un repas élaboré composé
rien que de légumes, de fromages, d'œufs, de plusieurs
sortes de pains, de fruits et de noix.

S'en aller à Paris, à Genève, à Rome : se recycler. Le
mot lui choque l'oreille intérieure. Comme s'il était
sorti de sa voie et qu'il n'avait pas réussi tout seul à y
rentrer. il sautait à la corde quand il était petit : avec les
filles. Des comptines lui reviennent. Il fallait entrer
quand les filles tournaient la corde à toute vitesse. Le

pire, c'était d'entrer quand elles faisaient tourner deux cordes en sens contraires. Avoir eu l'impression qu'il entrait dans une fraction de seconde. Sauter dans un temps infiniment court. Une impossibilité. Le cœur lui bat encore en y repensant.

Fumeur ou non-fumeur ? Non-fumeur. En avant de l'aile, s'il vous plaît. Voir ses deux gros sacs sur le tapis roulant, derrière la femme blonde. Encore une qui refuserait de fleurir à volonté. Une rage inapparente. Son sac en bandoulière, sa place dûment réservée, il s'en va voir les livres et les revues. Il fait de plus en plus sombre derrière les murs de verre. S'en aller à la rencontre du soleil lui donnerait un immense plaisir s'il n'avait encore les bras morts d'avoir constitué cet énorme dossier : le cœur fatigué de n'avoir pas réussi à trouver le mot de l'énigme. Qu'est-ce qui s'est passé au juste ? Le complot a eu lieu, la tentative a eu lieu. Pourquoi Oliphant et de Gaulle s'en sont-ils tirés indemnes ? Impossible mais vrai.

Ne plus y penser. Regarder les livres avec soin mais se fier aux doigts et aux yeux plus qu'à autre chose. Quand on part en voyage, il faut laisser jouer le hasard. Lire ce qui vous tombe sous la main. Soupeser les livres, lire les titres sans réfléchir, feuilleter sans lire. Lecture subliminale.

Plus l'heure avance, plus le conseiller Riverin se libère de l'inquiétude. Son inquiétude. Celle qui fait partie de lui : l'inquiétude intégrée. Partir, lever de terre. Fleurir ! Quand les fleurs apparaissaient sur ses plantes : hors saison la plupart du temps, quand le bouton se colorait, quand l'odeur déjà entrait dans le nez, il sentait fondre ce nœud dur qu'il avait en permanence entre la gorge et le nez : qu'il appelait sa boule. La merveille. Il mangeait une pétale qui tombait, de temps en temps : il prenait la chance. Il l'étendait sur sa langue et se regardait dans le miroir.

Les passagers pour le vol numéro à la porte numéro. Il s'était acheté une revue et un livre. Il les laisserait dans l'avion : lisez jetez. À moins qu'il réussisse à faire fleurir ce livre de poche qui ne lui dit rien qui vaille. À moins qu'une pétale de la fleur tombe et qu'il ait envie de l'avaler : d'y goûter. Un frisson : comme si c'était de la viande qui allait tomber de ce livre.

Entendre le bonsoir de l'hôtesse, trouver son siège, son hublot qui donne sur la ligne rose de l'horizon, ranger son sac, ne garder avec soi qu'une bourse de cuir, placer la revue et le livre dans la pochette : prêt pour la floraison. La boule d'inquiétude encore là, comme des végétations, comme une tête de chou-fleur. Comme une excroissance où se prennent toutes sortes d'infections.

Regarder les autres passagers, les autres passagères entrer. Des cotons et des plantes grasses. Tous et toutes appelés à fleurir. La première fois qu'il avait entendu dire qu'on pouvait forcer des plantes à fleurir, il en avait eu le souffle coupé. Quelle horreur ! Quelle puissance ! Forcer la plante à devenir ce qu'elle est : sa plus belle expression. D'années en années, il se raffinait, améliorait ses techniques, augmentait son pouvoir. Savoir enlever toute feuille superflue. Ne garder que le nécessaire. Tout est sacrifié à la floraison. La beauté du feuillage est subordonné. La fleur monstrueuse.

Il lui arrivait de se le dire quand il avait réussi à obtenir une fleur trois fois plus grosse que la normale d'une petite plante qui n'avait l'air de rien. D'une plante rachitique. Un monstre de beauté : une impossibilité.

Ce qu'il n'avait pas réussi à faire fleurir, c'est le dossier. Il aurait fallu l'émonder, couper à bon escient. Cette année à décanter lui fera du bien. Ensuite, il reprendra cette plante réfractaire en main. Lassonde réussira peut-être à y voir plus clair que lui. Il l'a trop vu ce dossier. Quand il y repense, c'est comme à une jungle et il a des odeurs entêtantes partout dans le corps. Il a réussi à y faire fleurir des fleurs parasites en quantité astronomique. L'idée vient de le frapper entre les oreilles. On dirait une otite en perspective.

Au fond, c'est ça qui est arrivé avec ce dossier gras : une prolifération monstrueuse où se sont greffées toutes sortes d'orchidées, de guis, de champignons.

L'avion a décollé de la terre : l'arrachement bienfaisant. Enfin le voyage. Voir la terre de haut : les lumières de la terre qui s'allument, qui disparaissent de la vue mais qui sont là.

Voler, fleurir. Comme conseiller légal du maire Oliphant, il en avait fait des voyages, et pas toujours des voyages de plaisir. Toujours le fait de monter l'avait réjoui. Être astronaute ! Il faudrait qu'il se réincarne pour ça. Il faudrait qu'il se réincarne à bon escient. Croire ou ne pas croire en la réincarnation. Certaine jacinthe à fleur rose lui avait parlé au nez plus que de raison. Elle avait fleuri le matin de Noël : Muscari monstrosum. Vraiment fleuri. La veille, les fleurs étaient toutes fermées. Le matin de Noël : floraison totale. Au petit matin, il était allé la voir. Le soleil pas vraiment encore levé. Elle oui. Une beauté à couper la parole. La tige trop haute, les fleurs trop grosses pour les feuilles. Un envol, un décollage !

Avoir été porté à lui parler. Trois jours d'exaltation à lui dire des choses pressantes. Parle donc ! À aucun moment, Muscari Monstrosum n'avait répondu dans un langage accessible. Mais le conseiller Riverin avait trouvé à cette conversation un alibi parfait : il ne savait trop à quel crime.

Ils ont servi un repas assez bon. Le filet mignon petit, rond comme une boule. Le conseiller Riverin a l'impression d'avaler son inquiétude sous une forme assimilable. Pas très chaud mais plutôt bon. Sa voisine voyage seule : elle fête sa séparation de corps. Un frisson d'amertume.

Lui, ce qu'il fête, c'est sa séparation d'avec son dossier. Il l'a mis sur le dos de Lassonde. Pourquoi a-t-il accepté ? La curiosité. S'il savait tout ce que sait Riverin, il se serait esquivé. Il se serait excusé. Au fond, il pourrait laisser le dossier dans un tiroir et il fleurirait quand même : peut-être. L'élan est donné. Déjà plein de parasites d'ailleurs. Il reste à faire fleurir le dossier lui-même. Trêve de comparaison.

Le conseiller Riverin ne fait pas la conversation avec sa voisine. Elle a étendu sa revue et en profite pour lui caresser la cuisse, le sexe, subrepticement. Une femme de cinquante ans qui a été très belle : c'est visible. La beauté laisse des traces indélébiles partout où elle passe. Femme épuisée d'avoir trop fleuri. Trêve de métaphores.

Le conseiller a la maîtrise de son corps : il résiste à la tentation de l'envol. Pas d'érection non voulue. La voisine l'a regardé avec un sourire connaisseur. Pas d'érection forcée. Répondre à ses phrases par des phrases qui ressemblent à l'écho à s'y méprendre. L'écho à peine modifié. Retenir l'adresse à Paris, pourtant. On ne sait jamais. La nostalgie peut lui revenir des parasites élaborés, des orchidées mauves piquées de rouge.

Elle est très cultivée. On dirait qu'elle a tout lu, tout pensé. Cinquante ans : c'est son anniversaire. Elle s'en vante. Un demi-siècle. Si on considère l'âge de la terre, c'est peu. Un sourire, un rire à provoquer chez le conseiller Riverin toutes sortes de talents plus ou moins inconnus de lui, toutes sortes d'images subliminales.

22

LASSONDE PENSE
QUE LES AMÉRICAINS ÉTAIENT
AU COURANT

« Alice Brind'Amour a toujours cherché à en savoir de plus en plus. Qu'elle ait eu un peu trop d'imagination ou pas assez est difficile à dire. Le maire Oliphant semble la tenir encore en haute estime. Après tant d'années.

Les pièces du dossier où il est question d'elle sont souvent rapportées par Hyatt, espion de la CIA. Son français laisse beaucoup à désirer. J'ai failli en conclure qu'Alice Brind'Amour était brouillonne. Depuis que le conseiller Riverin m'a parlé d'elle comme d'une femme hautement qualifiée, depuis que je sais qu'il la regardait comme une rivale, je me dis plutôt que Hyatt rapporte ses paroles en y mettant ses propres fautes, son propre ton: un peu infantile, un peu gauche. Les notes de Brind'Amour pourraient être un mélange de deux styles. Elles sont signées, la plupart du temps, d'un paraphe suivi d'un mot illisible qui pourrait être: journaliste.

J'ai marqué tout ce que Hyatt a écrit d'un point et virgule rouge. Certaines feuilles ne sont que la transcription telle quelle d'une bande sonore. Ou bien il voulait donner cette impression. À certains endroits, le gauchissement infantile qu'il cherchait à donner à tout ce que disait Brind'Amour n'a pas joué et on voit très nettement une intelligence supérieure en pleine action.

Il a fallu qu'elle soit brûlée, aveuglée par la passion pour ne pas voir qu'il chargeait. Il lui promettait mer et monde. En toutes lettres. Je te donnerai le monde. Il lui a écrit ça tel quel. Elle a vu l'artifice : il a fallu qu'elle le voie. Mais qu'un agent secret à la fortune rare, aléatoire, pense seulement à lui offrir le monde l'exaltait. Offrir ce qu'on n'a pas a dû lui paraître un cadeau sans pareil.

Elle se serait faite espionne pour lui ? Les questions de l'agent, étudiées de près, donnent une curieuse impression de tâtonnement. Une impression de balayage. Il n'avait aucune idée de ce qu'il cherchait à savoir. C'est ce que je me suis dit à maintes reprises.

On dirait qu'il en savait plus qu'elle : il l'informait de tout ce qu'elle devait connaître pour espionner efficacement. À tout moment, c'est lui qui donne les renseignements. Ce qu'elle lui rapporte, elle, n'est que questions. Et il répond. Il était en possession de toute une série d'informations hétéroclites. Ils se complétaient l'un l'autre : en un sens ils devaient se compléter. Brind'Amour avait toujours rêvé d'un homme qui lui offrirait le monde, et Hyatt avait enfin trouvé une femme dont la curiosité et l'avidité étaient à la mesure de ce qu'il avait à offrir.

On apprend toutes sortes de choses dans cette drôle de relation. On ne lit pas ce dossier en vain.

Brind'Amour avait toujours rêvé d'une aventure amoureuse. Une vraie. Elle n'avait eu toute sa vie que des succédanés. Les hommes qu'elle avait réussi à attirer tant soit peu étaient restés froids, peu enclins à l'envergure et aux cadeaux grandioses. Elle n'allait pas laisser passer la chance de sa vie de se voir offrir le monde et ses merveilles parce que l'offre venait d'un espion à la solde de quelque puissance étrangère.

Elle s'est sûrement dit qu'elle était assez brillante pour prendre l'aventure sans perdre son âme. Sans perdre son intégrité et la confiance du maire Oliphant. Sans cesser d'aimer le maire. Ce qu'elle cultive pour le maire est une passion perpétuelle. Le maire Oliphant, lui, n'a probablement jamais considéré ce désir ouvert sous ses pas comme un danger véritable. Avec l'habileté d'un somnambule, il a, pendant toutes ces années, longé le précipice. Ce terrible amour ne ressemble en rien à la passion qu'elle a ressentie pour Hyatt. C'est lisible. L'espion n'était qu'un feu efficace pour tenir l'autre feu allumé en permanence.

Il y a vingt notes où j'ai dessiné ce gros point et virgule rouge. Brind'Amour a vécu l'aventure à fond mais elle a su ménager ses effets. Elle se faisait tirer les vers du nez avec une volupté croissante. On peut le sentir. Elle se réservait avec une finesse indéniable.

Hyatt pousse, lui : il insiste pour en savoir plus long. Elle se creuse les méninges et lui dit autre chose : comme si les informations qu'elle lui donnait étaient comptées et qu'elle devait user d'un savant dosage pour ne perdre ni son aventure ni son âme.

Elle a joui tant qu'elle a pu, Brind'Amour. Quand je pense que j'avais d'abord cru à la naïveté de cette secrétaire !

On peut se demander ce que la CIA pensait de cette dialectique amoureuse. Malgré la fatigue de certaines fins de notes, fatigue inhérente à cette sorte d'espionnage, on dirait que Hyatt a vraiment reçu le choc amoureux. Il n'en revenait pas de ce qu'il appelait la candeur de Brind'Amour. Il n'en revenait pas d'être tant attiré par une pareille candeur.

Ils se voyaient dans des restaurants italiens, au mont Royal, ou bien dans les Laurentides. Cette aventure a coûté cher à Brind'Amour. Curieux, puisque c'est lui qui lui offrait le monde. L'inspecteur de l'impôt fédéral pose des chiffres très clairs. Il y a une photocopie d'un rapport plus que surprenant : une bonne partie des économies de Brind'Amour auraient fondu durant cette période.

La GRC avait pensé la tenir par son compte de banque, ses bijoux, ses propriétés immobilières. Car ils l'avaient bel et bien soupçonnée de recevoir de l'argent d'une puissance étrangère. Rien. Au contraire. Tout ce que l'inspecteur d'impôt, induit à faire une enquête serrée, put constater, c'est que durant les mois qu'avait duré son aventure avec Hyatt, elle n'avait fait que s'appauvrir. À croire qu'elle avait eu les doigts percés pendant toute cette période, elle qui avait toujours eu le sens des affaires.

Les quatorze et quinzième notes pourraient être une preuve du renversement d'une situation. Au moment où on dirait que Hyatt pense à abandonner le filon Brind'Amour, elle aurait décidé, elle, de se servir de lui comme d'un cheval de Troie électronique. C'est une supposition qui repose sur plusieurs phrases.

Après avoir décidé de refermer le dossier, en voulant replacer une feuille qui dépassait, je me suis aperçu que le paraphe reconnaissable était là, dans le coin inférieur droit.

En soulevant le poids d'une centaine de pages de toutes dimensions et de tous papiers, j'ai pu lire une phrase adressée à une femme inconnue qui laisserait croire que les Américains étaient au courant non seulement du complot monstre devant mener à l'assassinat d'Oliphant et de de Gaulle, mais qu'ils étaient aussi au courant du nom de code du tueur en question.

« Eye will take care of O & de G. »

23

LETTRE D'UN CALLIGRAPHE
PARIS

«De Riverin à Lassonde, salut !

Tu m'as demandé à quelles conclusions j'en étais arrivé sur le fameux complot de l'exposition internationale de 1967.

Ce jour-là, à Montréal, j'ai répondu à côté de ta question. Toute cette affaire est biaisée.

Je m'étais dit que la première chose à faire pour y comprendre quelque chose, c'était d'établir une surface d'inscription appropriée qui pourrait aligner, si on peut dire, toutes les forces en présence. Une surface d'inscription aimantée, d'une forme prédestinée. J'emploie les mots déroutants qui sont devenus les miens avec les années. D'après ma longue expérience d'avocat, de légiste et de conseiller personnel du maire Oliphant, il faut s'inventer une bonne surface d'inscription quand on commence à étudier une affaire.

La réponse que je t'ai donnée au restaurant n'était pas complète. Le maire Oliphant et le chef Livernois n'ont pas tout su eux non plus. Ils n'ont rien su d'important. Ils ont pensé tout comprendre : c'est bien différent. Moi, j'ai su que je ne comprenais pas l'essentiel, eux non.

Je me suis dit, j'ai été jusqu'à me dire qu'il n'y avait pas eu de complot, rien qu'une rumeur inventée par Livernois. J'ai été jusqu'à considérer l'idée. C'est te dire que j'étais désespéré.

C'est devenu classique, en ce monde de faux-semblants, de leurres, d'attrappe-nigauds où on vit. Toutes les agences internationales en usent. C'est trop facile. On bâtit un complot sur papier, avec organi-grammes et tout et tout. On construit une bombe creuse ou bien on désamorce une bombe ordinaire et on lui fait suivre les voies normales. C'est une façon de canaliser les forces adverses. Une fausse bombe est appliquée un peu comme une sangsue : les forces com-plotantes sont sucées.

Comprends-tu, Lassonde ? Le maire Oliphant et le chef Livernois se sont essayés à appliquer une sangsue de leur confection pour parer aux infections menaçantes. Et ils se sont crus en sécurité, tout le temps que durait ce vieux truc.

Il ne faudrait pas que tu penses que le Deuxième Bureau n'était pas au courant de cette invention maison. Ils en ont vu d'autres.

J'en ai parlé au maire, tu le sais par le dossier. J'ai tenté de soulever la question, plutôt. Il escamotait le sujet à mesure. Il refusait d'en parler avec moi. Ce qui me renversait, moi, c'était de seulement penser qu'Oli-phant et Livernois faisaient confiance à un faux complot pour souffler tous les autres.

C'est vrai que les autres petits complots ont semblé disparaître. Le chef de police s'en vantait comme un imbécile. Il est allé jusqu'à me téléphoner lui-même en changeant sa voix pour me dire toutes sortes de niaiseries. En se faisant passer pour un informateur anonyme ou un faux Français à l'accent indubitablement faux.

Livernois était tellement content d'avoir compris le fonctionnement de «la grosse bombe désamorcée» qu'il en rayonnait. Il faisait semblant de continuer de se soucier des autres possibilités, mais moi, je peux t'assurer que c'était de la frime. Il était complètement rassuré. En toute confiance. Tout le reste réduit à l'état de vétilles.

Comme si un faux complot, même d'importance, plongeait tous les autres complots dans l'impossibilité totale.

Le faux complot était une belle invention au début, quand c'était nouveau, inattendu. Comme la pénicilline, tiens. Au début, les microbes ont été mis hors de combat : efficacité totale. Les petits microbes sont morts, oui. Mais les autres ! Il s'est opéré une sélection naturelle. On devrait peut-être dire une sélection artificielle : plus rapide et plus efficace que la sélection naturelle. Les microbes les plus aptes ont survécu et se sont mis à proliférer mieux que jamais. Une bombe inventée, si grosse, si monstrueuse qu'elle soit, est d'autant plus dangereuse qu'on s'y fie davantage. Les complots ont une force nouvelle : soudain débarrassés des complots inaptes.

J'ai pris du temps à m'en convaincre. Livernois s'était tellement amusé à monter le faux complot que c'en était disgracieux. Qu'il ait fait de nombreux organigrammes n'était un secret pour personne. Il les cachait en des endroits dérisoires. Ses policiers les lui rapportaient, comme en se jouant. Pourtant ils n'étaient pas au courant. Mais une farce de cette grosseur sent la farce à dix lieues à la ronde. Les policiers ne pouvaient pas, même avec la meilleure volonté de sérieux possible, ne pas en avoir le nez chatouillé.

Surtout que le chef avait pratiqué toute une série de visages horrifiés et de tons scandalisés que le plus mauvais acteur aurait rougi de prendre.

Il s'était créé autour du chef un climat de mascarade. Les policiers rapportaient toutes sortes de faux indices, d'organigrammes codés, comme de jeunes chiens enjoués pourraient ramener à la maison les pièces détachées d'une machine ayant appartenu à leur maître. Ils jubilaient, mais savaient à quoi s'en tenir depuis longtemps. J'en ai entendu rire quelques-uns à plusieurs reprises. Sans débrouiller toute l'affaire, ils en comprenaient assez pour considérer Livernois comme un lourdeau égaré chez les danseurs.

Moi, ce que j'ai cherché à savoir, c'est la vérité. Dans ce dossier, et tu t'en rendras compte à mesure que tu t'y enfonceras, non seulement le maire et le chef de police inventent un faux complot, mais tout le monde semble en faire autant.

Je n'en ai pas conclu pour autant que tout le monde trichait. Ceux qui jouaient franc-jeu étaient pris dans le mouvement d'invention.

Tu te seras dit, sûrement, que la meilleure façon pour un assassin en mal d'assassiner Oliphant et de Gaulle en 1967 aurait été d'investir l'organigramme de Livernois. Il n'aurait eu qu'à amorcer la bombe monstre et la bombe inventée était une vraie bombe.

La chose s'est-elle produite? A-t-elle failli se produire? C'est ça que j'ai cherché à savoir pendant tant d'années. Ils ne sont pas morts, me répéteras-tu. Comment se fait-il que personne n'ait pensé à amorcer la fausse bombe, puisque tant de gens étaient au courant de son existence? Plusieurs assassins ont pourtant dû y penser.

Livernois, en borné, en intelligence de premier degré, te dira que les assassins se sont fiés au grand assassin dont aucun espion valable n'ignorait l'existence, bâtie à grand renfort de clichés, d'appels anonymes, de mandats d'arrêt bidons. Ils se seraient dit, toujours selon le raisonnement périmé du chef : puisque Oliphant et de Gaulle disparaîtront par l'œuvre du grand A, pourquoi se fatiguer, pourquoi doubler ce qui n'a pas besoin de l'être ? Pourquoi appuyer ce qui déjà est très puissant ?

Vois-tu où je veux en venir, Lassonde ?

Normalement, je te le dis, et en employant ce mot, je me rends compte des crampes que tu peux ressentir par tout le corps, normalement, cette bombe désamorcée, quelqu'un aurait dû penser à l'amorcer.

Ne me parle pas de cette chose qu'on a trouvée quelque part sous le chemin que devaient parcourir les deux hommes d'État. La fausse bombe de Livernois était monstrueuse. À force de l'améliorer, de la rendre indubitable, effrayante, Livernois l'avait peut-être rendue vraiment inhabitable, inamorçable.

Là, je sens que tu t'étonneras du mot inhabitable que j'emploie. Tant que j'étais à Montréal, j'évitais de me laisser aller à un vocabulaire trop fabuleux. Là, je suis en Europe. À Paris pour quelque temps. D'ici, je me mets à voir ce qui de près me paraissait incroyable. Cette bombe-là, celle qu'avait inventée Livernois en se servant d'une vieille recette, était enchantée. En quelque sorte. Je ne sais pas au juste ce que contient ce mot pour le moment. C'est de ça qu'il s'agit Lassonde, rien que de ça.

Ne me jette pas la pierre. Tu voulais mes conclusions, si improbables qu'elles soient : je te les donne.

Quelqu'un a voulu amorcer l'invention de Livernois. Quelqu'un s'y est sûrement essayé. Aucune preuve palpable. Rien qu'une certitude viscérale : après un long contact, après un contact charnel avec le dossier. J'ai l'intention de t'écrire souvent. En plus de me faire pratiquer ma calligraphie, ça m'aide à penser.»

24

BRIND'AMOUR :
PASSION PERPÉTUELLE ET
PASSIONS PONCTUELLES

Chaque année, le 29 octobre, Alice était venue faire brûler un gros lampion au sanctuaire de saint Jude : patron des causes désespérées. Sa mère et sa grand-mère avant elle étaient venues aussi. Elle ne croyait plus, Brind'Amour. Elle avait complètement perdu la foi un matin : en entrant au bureau. Pour rien. Elle s'était vidée de sa foi. Le fond avait cédé. Elle avait continué de venir faire brûler son lampion à deux dollars et restait là à penser une dizaine de minutes. Saint Jude, faites qu'Oliphant l'aime. Jamais elle ne l'appelait Noël, même dans le secret de son corps. Combien d'années depuis le premier lampion ? Vingt ans. Un amour à longue haleine qu'elle entretenait comme un volcan maîtrisé. Pas d'éruptions sauvages. Jamais. Même quand, au début, elle prenait de longues dictées, même quand elle avait senti qu'elle n'aurait que le petit doigt à lever pour le mettre à ses genoux. Un romantisme épouvantable. Le désir l'empêchait de bouger à ce moment-là. Assise sur un volcan. Saint Jude! Ce qu'elle voulait, c'était un amour qui n'en finirait plus. Elle n'avait pas voulu être sur sa liste d'attente : la dernière en lice.

Les années avaient passé. En 1967, il y avait eu Hyatt, l'aventurier des temps modernes : l'espion à la solde de la CIA. Il purgeait un châtiment. Il avait forfait de quelque façon aux règles de sa profession. Une nuit, il lui en avait parlé comme si rien désormais ne pouvait plus le toucher ou lui faire peur. La compagnie l'avait envoyé à Montréal pour peser le vrai et le faux d'un soi-disant complot ourdi contre le maire Oliphant et de Gaulle. Il lui avait raconté comment ses grands-parents, partis de la Beauce juste avant la crise de 1929, s'étaient installés à Biddeford, Maine. Hyatt parlait encore français, mais on aurait dit une langue désertée. Il avait aimé Alice Brind'Amour, cette femme à la candeur incroyable, cette femme qui lui rappelait des choses qu'il n'avait même pas vécues : seulement rêvées.

Était-elle candide à ce point-là ? Elle lui apportait des notes secrètes ou supposées telles, du matériel photographié dans les bureaux du maire ou du chef de police. Hyatt lisait la candeur partout. Il était obligé d'inventer toutes sortes de choses, d'écrire des notes de son cru en imitant la candeur de Brind'Amour, en calquant ce qu'il croyait être de l'infantilisme. Les patrons ont souvent eu des envies de couper court à l'aventure. Au moins dix fois. Hyatt était métamorphosé. L'agent cynique, nerveux, suicidaire, était devenu, malgré les airs qu'il continuait de se donner, un homme aux yeux qui rient. Un homme qui avait du plaisir à se lever le matin, à se coucher le soir, un amoureux drôle qui jouissait des moindres caresses, des moindres sourires, des mots d'amour les plus invraisemblables.

À Montréal, cette année-là, il était entre deux missions, entre deux actions. On ne pouvait pas appeler ça une mission : Brind'Amour ! Ce qu'elle lui disait, ce qu'elle lui écrivait en grand secret le chatouillait. La seule idée de trahir son maire lui donnait des idées de mourir brûlée vive en expiation. Qu'est-ce qu'elle pouvait lui trouver à cet Oliphant ? Rien pour lui. Oliphant ne l'avait jamais embrassée ailleurs que sur les oreilles. On ne peut pas rêver d'une mission entre deux missions plus fabuleusement drôle. Hyatt se sentait virtuose. Il se savait expert en espionnage : un professionnel en pleine possession de ses moyens. De tous ses moyens : les bons et les mauvais. Tous les moyens sont bons d'habitude pour arriver à ses fins.

À Montréal, cette année-là : une mission de rêve. Sentir l'impatience des patrons, sentir leur indulgence impatiente. Avoir réussi à leur faire accroire qu'il ajustait sa technique en conséquence et qu'on ne pouvait pas s'y prendre avec Brind'Amour comme on s'y prend avec un fonctionnaire de l'ambassade russe.

Avec Brind'Amour, il fallait établir la confiance par d'autres moyens. Le grand patron l'avait reçu juste après son premier rapport. En 1966. Hyatt avait été sommé de dire ce qui se passait au juste. Un rapport comme celui-là relevait de la farce. Pour qui se prenait-il ? Pour un jardinier de jardin de l'enfance ? Hyatt s'était fendu en quinze mille. Il s'était souvenu de cette expression qu'employait son grand-père là-bas à Biddeford. Se fendre en quinze mille ! Il avait justifié ce rapport injustifiable.

S'être rendu compte dès le premier jour que Brind'Amour ne serait d'aucune utilité et avoir réussi à rester en mission à Montréal tant de mois. Des vacances à la vie. Après le trapèze sans filet des grandes missions, se rouler dans un lit avec cette femme fabuleuse. Tout ce temps.

Tous les petits-enfants n'avaient parlé que l'américain. Les parents avaient continué de causer entre eux en français : de temps en temps, quand le goût leur en venait. Rarement, très rarement. Le grand-père, lui, avait continué de naviguer en français sur cette mer de mots américains. Deux semaines de temps ! Cinq ans de temps ! Il disait ça. Comme si c'était plus beau, plus clair.

Hyatt, à Montréal, s'était mis à se souvenir de centaines d'expressions qu'avait utilisées le vieil homme aux yeux qui riaient tout le temps. À utiliser ses mots avec son accent, il passait pour un Beauceron. Chose curieuse, il passait pour un Beauceron un peu ivre, un peu hors de lui. Peut-être à cause de cette lueur vacillante qu'il s'était mis à avoir dans l'œil.

La plus belle mission de sa vie : la seule. Un gros complot maison destiné à avaler tous les petits complots des alentours. Une merveille. Le rire sur la terre. Les yeux qui rient sont si rares. Brind'Amour avait le rire tout près de la surface des yeux. Aux premières caresses, le feu grégeois à la surface des larmes.

Au plus fort du désir, il lui disait qu'elle avait le feu au derrière : comme avait dit son grand-père avant lui. La colère augmentait encore le plaisir : celui de Brind'Amour et celui de Hyatt. Le même au fond. Jamais il n'avait réussi à si bien jouer de son instrument : à croire que toute son expertise, toute son expérience professionnelle ne lui servaient plus qu'à bien faire l'amour : tout espionnage tombé dans l'inanité.

25

SE METTRE EN LA PRÉSENCE
DE L'AMOUR

Clavel essaie de rejoindre Hélène au téléphone. Personne ne répond ou bien c'est occupé. Elle est là, puisque de temps en temps la ligne est engagée.

Il écrit encore des articles tous les jours, mais pas toujours des reportages. Ses vacances continuent indûment. Il reste là à attendre des nouvelles de l'Œil. Quelqu'un l'a fait venir d'urgence à Montréal et ne lui donne plus aucun signe de vie.

Se mettre en évidence partout. Ne pas passer inaperçu. Savoir pourtant que c'est profondément inutile. Il se sent, non pas suivi, mais repéré, vu : tout le temps.

Se dire que c'est impossible, que c'est dans ses yeux tout ça, dans sa tête. S'être levé aux petites heures. Assis sur l'étroit balcon de la chambre de touriste, voir les gouttes de rosée s'iriser au lever du soleil, les fils de la vierge entre les arbustes. En plein cœur de Montréal : quelques mètres de nature. Sentir l'humidité lui sécher sur les épaules à mesure que les heures passent. Rester là à écrire des phrases pour l'article de demain. Seuls ses reportages de pointe sont signés Simon Clavel. Pour les autres articles, il a un choix de pseudonymes. Les lecteurs savent ou ne savent pas que c'est lui. Par moments, il se demande lui-même si c'est bien lui qui signe : Montauban, Carame, Épitame, Laloume, Omphis, Petrusi, Nanterre, Xavière, Hugo, Rumpano, Tremblon, Youpax. Le rédacteur en chef le sait, lui. Il en veut à Simon Clavel d'être Simon Clavel. Quelle que soit la défroque, il reconnaîtrait sa griffe partout. Partout il lui en voudrait d'écrire. Il lui en voudrait, même si Clavel écrivait des comptines insignifiantes. Picasso c'est Picasso, même sans signature, même sans pseudonyme. Et Simon Clavel, c'est Simon Clavel.

Clavel a le soleil dans l'œil. Septembre 1979. De temps en temps, sentir le besoin de se dire la date parce qu'on se sent éternel. Devoir réinventer le temps et les mesures du temps. Scander le jour, le mois, l'année, le siècle, le millénaire, l'année-lumière.

Clavel écrit lentement. Les phrases l'une après l'autre. Il sèche de frayeur tout d'un coup, il ne sait pas pourquoi.

Le ciel bleu, l'écureuil qui monte sur le balcon, les yeux ronds, les pattes en cathédrale, la respiration accélérée. L'effroi au corps, au cerveau, aux oreilles. Spectre de la lumière visible : l'infini à gauche, l'infini à droite. L'indéterminé.

Clavel se regarde les chevilles. Un réseau de veines éclatées à gauche, une cicatrice en zigzag à droite. La peau marbrée près des mocassins. Un attachement pour ses vieux souliers. Comme Félix Leclerc. Beaucoup voyagé. Par avion surtout. Des souliers ailés. Des ailes par tout le corps, des yeux partout. Une curiosité effrayante. La fouine. Dans son dos, un jour, le directeur de *La Noûvelle Presse* l'avait appelé « la fouine à Clavel » :

toujours le nez fourré partout. Des ailes au nez aussi. Avoir senti venir les choses de partout et pas seulement du passé. Un effroi venu de l'avenir. L'effroi à venir.

Continuer son article, son fragment. Sentir l'éternité se refaire. Habiter la lumière visible. Habiter l'autre aussi : la sentir qui presse aux tempes. Relire son fragment et sortir. Aller s'exposer *Au coin de montagne.*

Se mettre à savoir que quelqu'un viendra le chercher pour lui parler. La curiosité tient le monde en suspens. Suspendu. Ne pas savoir l'avenir mais le savoir presque. Sécher de frayeur mais vouloir vivre quand même. La révélation enfin. La présence enfin.

Se mettre en la présence de l'Œil, comme dans les anciennes prières. Le battement accéléré dans le visage. Une tension partout : entendre, voir.

HAÏR OU NE PAS HAÏR. Il a décidé de signer Omphis.

HAÏR OU NE PAS HAÏR
Par Omphis

« La haine est rare. Poser la phrase pour avoir quelque chose à considérer. La violence est pourtant fréquente. La cause de la violence est rarement la haine. L'exaspération, le besoin d'agir, de s'opposer. La jouissance du corps à corps. Même douloureux. La volupté sanglante.

Chercher la haine. Dans les endroits violents. Au moins une partie des actes de violence sont haineux. Prendre pour acquise cette partie. Procéder scientifiquement. Rechercher les endroits chauds, grouillants, populeux. Violence et incohérence. Les rues peu sûres, les quartiers malfamés, les heures dangereuses. Les heures susceptibles. Hypersensibles. Deux heures du matin, dans les rues qui mènent au port de Montréal. La violence plus facile, plus probable.

Les rues vides. Étonnement. Entendre le bruit des talons. La lune pleine, grosse, presque jaune. Avec des tons d'orangé dans les cratères. La tête monte vers la lune. Tout le corps. Attraction. Effet de marée. Effet de montée. La haine oubliée. La violence absente. L'heure susceptible pourtant. L'heure porteuse. Du vent entre les hangars. Le vent du golfe, du large : qui a remonté le Saint-Laurent. Pas d'odeurs. Un peu de poussière. Petite pluie a abattu toute poussière. Presque toute poussière. Marcher en douce. S'enfoncer entre les hangars. Chercher la violence en cette heure non bénie.

On pourrait parler du cœur de la nuit. Au cœur de la nuit.

Une mouffette devant. Ne pas bouger. Devenir partie du paysage. Elle boite. Inélégance et saleté. Même sans lumière crue, elle est sale. Ses deux lignes ont perdu leur blancheur. Elle s'en va, s'éloigne. En diagonale.

Pourquoi avoir parlé d'elle ? La mouffette solitaire qui boite de biais sur la place du port à trois heures du matin. Sans intérêt.

Écouter mais sans peser. La violence absente. Des nuages de tragédie passent devant la pleine lune. Tableau romantique. Le nuage mince, découpé, bordé de brillant. Se regarder décrire parce que la violence n'a pas éclaté. Comme si la violence devait toujours éclater. La violence peut monter en douce : marée irrépressible due à l'attraction combinée des deux astres en question. Les grandes violences, les grandes eaux, les hautes mers.

Aspirer. En rester là. Sur le faîte. Le plus beau mot. Aspiration. Corneille a dit qu'il aspire à descendre, celui qui a monté sur le faîte.

S'en faire accroire. Les mots comme une garde autour. Susceptibles comme il se doit. À cette heure, les mots sont susceptibles. Capables de sens plus violents.

À chercher la violence, on finirait par la trouver si on était dupe de cette recherche imaginaire.

Être dupe encore un peu.

Le froid monte des pieds, de l'asphalte mouillée. Le vent tombé, comme une violence. La seule entendue jusqu'à présent en ce lieu. Expérience non concluante.

Revenir. Remonter vers le cœur de la ville. Le centre-ville. Personne. Un désert. Les heures faites désert. Toutes violences abandonnées.

Au début de ce fil: la haine. Jeu du téléphone: le premier entend haine, mais l'écoute est déformante et la conclusion étonne.

Se retourner pour voir se lever le soleil. Vers le golfe. La lune, blanchie, presque effacée. À peine dessinée à l'encre de Chine. La brise marine passe en ce moment sur l'immense Chine: chanson douce de mon enfance. Ne pas céder à la tentation d'en parler. Garder la phrase pour l'émoi et l'aspiration cornélienne à descendre.

La haine au centre-ville peut-être. Marcher sur Sainte-Catherine en cette heure moins susceptible. Six heures. La mouffette est là: la même. Au bord d'une poubelle. En plein centre-ville. Fou rire qui monte des jambes. Tremblement. Violent frisson. Incontrôlable. Violence de ce rire irrépressible.»

Penser à Hélène. Téléphoner à Hélène. Personne. Ses trois filles à l'école. L'air de Rimouski à la fin de septembre. Se dire que les années passent en vain. Ne passent pas. Se retrouver pareil. S'ennuyer d'Hélène, s'ennuyer de l'amour comme à quinze ans. Je t'aime

Hélène. Aime Hélène. L'amour sous les bras, sous le ventre. T'aime Hélène.

La chaleur le fait transpirer. L'humidité du corps. À l'aube, c'était l'inverse : l'humidité de la terre. T'aime Hélène. Fermer les yeux. Toucher son visage. Mettre son visage sur son visage. Absent trop souvent. Absent tout le temps. Avoir couru le monde comme un aventurier. L'attrait de l'horreur. Les terrorismes, les mafias, les scandales, les putschs, les élections manipulées, les cataclysmes naturels et artificiels, les épidémies, les guerres. Chercher le commun dénominateur. La fouine internationale est amateure de chiffres.

T'aime Hélène. Il le répète à voix basse et l'écureuil se sent interpellé. T'aime Hélène. Pourquoi le dire tout haut ? Pourquoi le dire tant ? Pour qu'elle l'entende. L'amour de loin, comme dans Claudel. Les antipodes.

Avoir tant pris l'avion qu'il en a des visions, des étouffements. Des plus monstrueux aux plus petits : tous fragiles de la même fragilité. Aimer l'avion comme ses propres ailes. Voir la terre de très haut, de très bas. Les chocs des décollages, des atterrissages, des amerrissages. T'aime Hélène. Ne plus faire la différence entre Hélène et des ailes. Tellement autonome Hélène : presque indifférente. T'aime Hélène. Ma vie, mon amour. Ma vie ! Se sentir sentimental sous le soleil. Vulnérable et éternel. T'aime Hélène. L'avoir laissée vivre par elle-même tous les jours jusqu'à la consommation du siècle. L'avoir eue dans la peau depuis l'âge de quinze ans. Avoir fait trois enfants ensemble au hasard des voyages aux antipodes : au hasard des retours de voyages. T'aime Hélène. Tellement autonome. Gagne sa vie, oublie de changer les chèques, l'oublie complètement plus souvent qu'autrement. Loin des yeux. Non, pas elle. Loin des yeux, proche du cœur. Elle l'aime mieux de loin : presbytie vraisemblable. T'aime Hélène. Cesser de le dire. Se forcer à le savoir. Que ne vienne

pas le durcissement du corps. Aguerri, Simon Clavel ?
Accoutumé aux violences ? Blasé ? Les mains calleuses
pour les caresses ? L'âme calleuse ? En avoir tellement
vu : de toutes les couleurs. En avoir trop vu ? Plus
capable de candeur ? Trop de chocs ? Devenu insensible ?

T'aime Hélène. Ne pas regretter toute sa vie. On ne
regrette pas toute sa vie. Avoir répondu : présent,
quand l'horreur criait quelque part dans le monde.
Avoir écrit tant de reportages dans tant de journaux
que ses lettres d'amour s'en ressentent.

Son amour déformé, subordonné, sous-jacent. Devenu névralgie sous la peau. Hélène dans la peau depuis
l'âge de quinze ans. Le temps importe peu. Scansion
artificielle. Travailler pendant qu'on a la lumière.
Pendant qu'on habite le spectre de la lumière visible.

Se mettre à aspirer à la lumière invisible : l'autre
lumière. Hélène se vante d'avoir des yeux de chatte, de
voir à la noirceur. Avoir fait l'expérience plusieurs fois.
Des yeux perçants.

Taper l'article sans en rien changer : tel quel et signé
Omphis. Pas de reportage aujourd'hui. Être en retraite :
vacances à la vie. En attente. En présence. Quelqu'un l'a
fait venir à Montréal d'urgence : pour rien.

Retrouver la femme en jaune, la petite vieille, le chat
noir. Aller se mettre en évidence quelque part. Accélérer
le processus.

26

CLAVEL, C'EST CLAVEL
AMENEZ-LE MAIS POLIMENT

Le chef agissait souvent par intuition. Un intuitif. Quand il avait senti la pointe de sa pyramide renversée bouger, il s'était fait amener Clavel. Par acquit de conscience. Par acquit de curiosité plutôt. Un nom connu : Clavel.

Par Reine Lallier qui s'était donné la peine de le suivre, le chef savait déjà que Clavel habitait une chambre de touriste sur la rue Mansfield. La serveuse le voyait tous les jours. Il venait à la terrasse s'asseoir et boire du café. Il commençait à faire moins chaud mais le patron avait décidé de laisser quelques tables dehors. Un après-midi, il avait commencé à bruiner et Clavel était resté attablé là, tout seul, comme en montre. Ostensible. Il insistait pour se faire voir. C'est ce que Reine Lallier avait dit au chef.

Clavel n'en revenait pas de ce laps de temps qui lui était donné. Après l'attentat, il aurait voulu autre chose que cette attente illimitée. Rien du tout. Pas un signe, pas une étoile à suivre.

Après l'avoir attiré dans un piège, après l'avoir sauvé d'une façon évidente, l'Œil s'était désintéressé de lui. Il avait porté son attention ailleurs. Clavel restait là, lui, même sous la bruine, sûr d'être vu. Il lisait encore une fois la lettre pressante qu'il avait reçue des Haïtiens. Quelqu'un s'était cyniquement servi d'eux pour le faire venir à Montréal.

Clavel disait «quelqu'un» en frémissant, sans appuyer. Les Haïtiens s'étaient sentis trompés. Ils l'avaient été. Mais par qui au juste?

Une sorte de rage lui montait à la tête, mais avec la rage, toute la curiosité dont il était capable. Qui le cherchait? L'Œil. Il y revenait toujours. Depuis le début il savait qu'il était manipulé.

Avec les années, il s'était senti devenir une machine de précision. Si les Haïtiens avaient été brillants, ils auraient agi autrement. Ils se seraient servi de lui au lieu de le regarder comme un extra-terrestre. On ne se sert pas d'un micro-ordinateur de grande subtilité comme on se sert d'une grossière machine à additionner. Ils ne seraient peut-être pas morts aujourd'hui s'ils avaient fait autre chose que le retourner du bout de leurs questions, sans considération. Avec une considération ordinaire.

S'ils lui avaient demandé une question précise après lui avoir fait un résumé des faits, il leur aurait fourni une réponse valable. Clavel avait en lui une confiance qui touchait à la superstition.

Les Haïtiens n'ont pas su profiter de la chance qu'ils avaient de l'avoir en face d'eux. Face à face. Une chance qui avait tourné en malchance.

Sourire tout seul sous la bruine en plein mois de septembre lui était une sorte de jouissance totale. Ce plaisir couvrait tout: sa vie et le monde. Il lui arrivait, certains jours, de ne pas voir la différence entre les deux. Il était le monde à une petite échelle. Et encore. Il n'était pas sûr d'être à petite échelle.

C'est ce jour-là, le jour où il avait bruiné, que le chef de police avait dépêché des civils au restaurant *Au coin de montagne* pour demander à Clavel de bien vouloir venir rencontrer le chef de police. Cette politesse était notée en toutes lettres dans le journal de Clavel.

Il s'attendait à une autre visite, Clavel, mais il n'a pas hésité. Conscient d'un mouvement concerté de l'autre côté de la rue. Les manipulateurs avaient peut-être eu peur de voir la machine de précision leur échapper, attirée irrémédiablement par une planète interférente.

Clavel s'était réjoui, tout en ressentant une grande impatience. Comme si l'initiative du chef de police allait lui faire perdre du temps, le distraire d'une manipulation experte.

Clavel s'était étonné d'en être rendu là, à cinquante ans. Il ne serait plus que cette machine de précision à laquelle il était porté à faire allusion tout le temps ? Son plus grand plaisir serait d'être bien utilisé ? Utilisé à sa limite ? À des fins démesurées ? Il ne serait plus qu'un pantographe. Une merveille de précision, mais une machine !

Clavel parlait dans son journal des frissons d'horreur qu'il avait ressentis en considérant cette possibilité : n'être plus qu'une machine de précision.

Toute une vie passée à affirmer son jugement, toute son énergie déployée à se faire un style net, efficace, sans brouillage, pour en arriver à être utilisé par un Œil expert.

Le mot Œil était toujours, non pas souligné, mais doublé dans le journal de Clavel. Il avait passé deux fois sur le mot.

La politesse affichée des envoyés du chef de police l'avait fait sourire mais elle l'avait aussi beaucoup agacé.

27

JOURNAL DE CLAVEL :
UNE RUMEUR CREUSE PEUT-ELLE
ÊTRE HABITABLE ?

« On aurait dit que le chef de police les avait fait pratiquer avant de partir. Ils continuaient de répéter, à jamais éloignés d'un vrai jeu de scène. Ils s'accrochaient dans leurs mots en me demandant si j'aurais l'obligeance d'aller rencontrer le chef de police qui désirait me parler en toute liberté et sans aucune obligation de ma part. Curieux, comme on peut se sentir blessé par une politesse de mauvais aloi. De mauvaise foi aussi : j'en suis certain. On peut se sentir traité avec un grand manque de considération et baigner dans des formules de politesse. Comme si l'essentiel manquait.

C'est effrayant à dire mais les manières de l'Œil me conviennent mieux que celles du chef de police. L'Œil a pourtant des manières brutales. Les hommes tombés en face de l'imprimerie haïtienne en sont une preuve flagrante. Je n'approuve pas les manières de l'Œil. Je les réprouve. Les politesses des autres sont pires : elles me tuent.

Je me défends d'avoir tant envie de connaître l'Œil. S'il s'agit bien de lui. Je n'en sais rien. Toute ma vie, j'ai eu envie de le rencontrer. Inutile de me le cacher. En sillonnant le monde, en dessinant sur le globe un réseau serré d'itinéraires, je l'ai comme emprisonné. On s'en fait accroire : c'est ce qui donne le goût de vivre, passé un certain âge. On voudrait, en même temps qu'un jugement affiné, aiguisé, s'être fabriqué une imagination puissante. L'Œil, pour moi, c'est l'imagination incarnée, l'esprit d'invention en action. Bonne ou mauvaise : comme au-dessus de tout.

On en parlait entre nous. Pas un grand événement que je n'aie couvert sans qu'un dessin sous-jacent ne se soit formé. Tous les journalistes avaient plus ou moins la même hallucination. Et cette hallucination a grandi d'année en année.

Il nous arrivait de marcher ensemble sur des frontières raides. Sans filet, on s'aventurait sur le vide. C'est là surtout qu'on se rendait compte d'une chose : l'Œil n'était étranger à rien. À rien de ce qui se passait dans le monde.

Quand on voyait les victimes du terrorisme, quand on faisait le bilan de toutes sortes d'attentats réussis, on devenait enragés malgré tous nos efforts de sang-froid. En même temps, on s'en voulait d'éprouver de la fascination pour celui qu'on nommait l'Œil.

Là où je ressentais le frisson le plus grand, c'était quand je rapportais un assassinat manqué. Souvent, je m'étais dit que l'impact était autrement grand quand la police criait à l'échec. Je savais que l'Œil manquait son coup à volonté. L'échec toujours voulu. J'en suis sûrement venu à le surestimer. J'avais commencé par ne pas y croire. Certains journalistes refusaient, continuaient de refuser d'y croire.

Ça ne les empêchait pas de faire courir des bruits. Ça ne les empêchait pas de citer ses paroles. Toute une axiomatique sur le monde : comme un filet de lave coulée de lui. Pas une lueur de gaieté dans l'Œil. J'avais fini par n'y voir qu'une tristesse infiniment froide.

Pas d'amour dans mon émotion. Pas d'admiration non plus. Autre chose. De la curiosité, comme d'habitude. Une curiosité qui a fini par faire de moi cette machine de précision que je m'acharne à rendre encore plus précise, encore plus inhumainement efficace. Car je me suis mis, après vingt ans de carrière, à ne plus vivre en dehors de ce qu'il me faut bien nommer l'avidité, le désir. J'en serais venu à lui ressembler : à lui, à l'Œil.

Moi aussi, j'ai laissé des coulées de lave autour de la terre : des coulées de larmes. J'ai écrit sur le monde.

C'est terrible comme métier. Le pire. Il n'est pas interdit de blâmer les terroristes, il n'est pas interdit de fustiger le mal. Mais on passe d'un événement à l'autre. On se déplace d'un attentat réussi à un attentat manqué, d'un putsch de colonels à une élection faussée. On s'envole tout le temps. Toujours en fuite, nos textes lancés par téléphone ou par satellite.

À cinquante ans, qu'est-ce qui me reste ? Je l'écris lentement : il me reste une candeur aussi creuse qu'une rumeur. Au fond, ma candeur est intacte. C'est le monde que j'ai sillonné, égratigné, ligné. Moi, je suis resté candide, vierge, avide. Les larmes que j'ai mises en orbite sont venues d'ailleurs, pas de moi. Les mots aussi. Je suis lieu de passage pur et simple, un télescope hautement sophistiqué : l'Œil pourra voir ce qu'il veut voir, opérer une vision à la mesure de son désir de voir. En l'écrivant, j'ai des frissons qui ressemblent aux plus grands frissons de ma vie.

Le chef de police m'a reçu en grand uniforme dans un bureau froid. L'air climatisé au maximum. J'ai su, tout de suite en entrant, que quelqu'un d'autre était là à nous écouter. L'écran, à gauche du chef, vibrait d'une présence indubitable.»

28

RIVERIN ET BRIND'AMOUR :
UN CHASSÉ-CROISÉ
DE PHOTOCOPIES

Brind'Amour n'avait jamais vu Clavel. Seulement quelques photos de lui dans *La Nouvelle Presse*. Elle dit qu'elle l'a reconnu tout de suite. Ce que j'ai sous les yeux, c'est une photocopie des archives personnelles de Brind'Amour. Riverin a réussi à copier une grande partie du dossier qu'elle montait pour son usage personnel. Ils étaient au moins deux à continuer l'enquête. Que la secrétaire se soit aperçue de l'indiscrétion du conseiller, c'est sûr. Elle n'y voyait pas d'inconvénient : elle faisait la même chose de son côté.

Elle ne s'est jamais gênée pour regarder le conseiller de haut. Elle méprisait cet avocat maniéré qui forçait des plantes à fleurir hors saison dans le sous-sol de sa maison. Mais ce mépris était toujours resté poli. Évident mais glissant. Qu'il se donne la peine de copier au xérox ce qu'elle écrivait pour ses propres archives ne la dérangeait pas. Elle allait jusqu'à lui faire un petit signe de connivence de temps en temps ; elle était allée jusqu'à écrire : Charlie R. est une valeur négative oubliée dans le bilan.

Ce qui semblait enrager le conseiller plus que de raison, c'était de seulement penser que Brind'Amour en savait plus que lui sur la chose en question. « Elle sait tout. » Il l'avait écrit rageusement de biais au milieu d'une des photocopies.

Livernois, si on considère les papiers du dossier, est un intuitif acharné. Son plus grand mérite, c'est d'être resté en poste très longtemps : ni riche, ni doué, ni cultivé pourtant. « Ce qui compte, c'est ce qu'on fait avec ce qu'on a, comme dit le fameux proverbe québécois. » Riverin rapporte la phrase telle quelle dans le dossier.

29

BRIND'AMOUR : UN STRADIVARIUS N'EST UN STRADIVARIUS QUE POUR LE GRAND VIOLONISTE

« Livernois avait fait venir Clavel pour vérifier un pressentiment qu'il avait eu. Juste avant l'arrivée du journaliste, il s'était retiré dans ce coin de bureau qu'il a aménagé en aire de méditation. Un immense fauteuil à oreilles, de biais, face à l'angle du mur. Là, les yeux sur la ligne du coin, il s'enregistre sur cassette. Un petit micro collé aux lèvres, il fait des mises au point. Moi, j'entends tout. J'ai mes entrées et mes sorties dans ce bureau comme dans tous les autres. Depuis le temps que je travaille ici, ce serait le comble si on réussissait à me cacher quelque chose.

Je viens écouter les cassettes du chef quand ça me convient. Je tiens à me rendre compte à mesure du progrès de sa pensée.

Je sais que la lettre de Reine Lallier l'a laissé vibrant. Oscillant même : si on peut dire. L'appel téléphonique a empiré encore les oscillations. « Une émotion lointaine, primaire, très aiguë.» Je l'ai là, sur la cassette : toute la mise au point. « Comme une exquise douleur. Le passage d'un courant, l'espace d'un moment. On ne néglige pas une émotion primaire. Je ne pense pas que Clavel m'intéresse pour lui-même, mais je sens qu'il me touche de près, ne serait-ce que par l'une de ses pensées. J'avais décidé de ne plus penser à lui : un homme en fuite, comme dit cette Reine Lallier. C'est peut-être l'expression même qui m'a touché. Seulement l'expression. De toute façon, un intérêt primaire, ça ne se néglige pas. »

Après quelques secondes d'exercices respiratoires, dûment enregistrés : gonflements extrêmes des poumons suivis d'expirations totales soutenues le plus longtemps possible, il continue : « devenir un philosophe, un philosophe des émotions primaires. Tel devrait être mon but dans la vie désormais. J'ai en moi-même un sismographe. Il faudrait que j'en profite pour accumuler le plus de résultats possible comme font les scientifiques avant d'écrire leurs conclusions. Quand viendra pour moi l'âge de la retraite, je pourrai écrire toute une série d'essais ou même de romans intitulés non pas « L'âge de raison », mais « Sur quoi repose toute cette raison ? »

Pour l'entrevue qu'il devait avoir avec Clavel, c'est Livernois lui-même qui avait pensé à m'inviter. Je devais, c'était sa condition, rester cachée derrière une sorte de paravent qu'il gardait là en permanence, on ne sait trop pourquoi. Cette cloison monte à un mètre du plafond et cache toutes sortes de microphones et d'appareils électroniques. Il m'a dit qu'on pouvait bien s'entraider entre personnes du même bord. Quelque chose de la marine dans son vocabulaire. Il m'a dit savoir par intuition que je ne voulais que le bien du maire Oliphant. En le disant, il avait eu à l'œil un tic éprouvant. Ensuite il s'est senti comme gêné et m'a dit qu'il glisserait : Glissons mortels, n'appuyons pas, comme dit le fameux dicton québécois. Je n'ai rien dit car son tic

à l'œil s'était transformé en clins d'œil prononcés.
J'avais souri de sa gaucherie et il s'était mis à me
soupçonner de toutes sortes de choses. Les clins d'œil
empiraient et j'avais hâte de changer de sujet. Qu'il ne
s'avise surtout pas de me parler de mon enquête : c'est
personnel.

À un moment, j'en viendrai à tout savoir. Les
moindres faits prendront un éclairage indéniable quand
viendra le point final. J'aurai enfin la solution debout
dans le milieu de la place comme un bel hologramme. La
hauteur, la largeur, la profondeur de ce qui s'est réel-
lement passé. Les grands fleuves ont souvent une
source secrète, inapparente. C'est seulement quand on
se met à chercher la source qu'on la trouve et qu'on
s'étonne de la disproportion. Un torrent de montagne
au commencement du fleuve monstrueux.

Clavel m'a toujours fascinée. Ce journaliste qui a
parlé de tout depuis des années ne peut pas ne pas être
compris dans mon enquête. « Tout est dans tout »,
écrirait le chef Livernois. Ou bien : « Tout est pur aux
cœurs purs » proverbe authentiquement québécois.
Souvent, il ne se contente pas de citer le proverbe en
question, il se sent obligé de jouer sur l'idée, de con-
juguer le sens de la pensée à tous les modes et à tous les
temps.

En écoutant les cassettes ensuite, on a une étrange
sensation d'espace creusé, de cratère lunaire. « Tout est
soupçon aux soupçonneux, tout est juste à l'esprit juste,
tout est émouvant à l'âme sensible, tout est primaire au
primaire. » Il lui arrive de donner de certains mots des
définitions peu sûres. Comme si un virus s'était mis
dans le dictionnaire qu'il a, intégré, dans la tête ou
ailleurs. C'est devenu, avec le temps, l'un de ses plaisirs
les plus avoués : définir les mots en y mettant une
saveur personnelle indubitable. Son intérêt pour les

dictionnaires ne s'est jamais démenti. Il en a une collection impressionnante et il continue d'en chercher,
d'en acheter. Leur valeur, selon lui, est très relative.
C'est celui qui s'en sert qui fait presque tout. «Un
stradivarius n'est un stradivarius que pour celui qui
sait jouer, pensée bien québécoise.»

Il parle régulièrement, durant ses heures de médi-
tation-mise au point, de l'exposition universelle et des
choses extraordinaires qui auraient pu s'y passer. Il
parle du complot monstre. Il ne dit jamais : un complot
monstre. Il dit : le complot monstre. Un jour, il s'est mis
à se vanter : il avait été d'une ingéniosité incroyable. Il
n'explique rien vraiment. Il parle pour lui-même. Pour
lui tout seul. Moi, quand j'entends ça, je tends l'oreille.
Il y a beaucoup de choses que je ne comprends pas dans
cette affaire.

Clavel est entré. Par un trou minuscule, je voyais
presque toute la scène. Le chef lui a fait signe de
s'asseoir en face du bureau et s'est mis à se taire.

Clavel l'a regardé. Il a tant couvert d'événements
dans sa vie qu'on le dirait criblé de coups. Beau comme
la lune : des cirques, des montagnes et des mers aux
noms à faire rêver. Mer des crises, mer des vapeurs,
mer des humeurs, océan des tempêtes, mer du froid.
Celui qui a survécu : revenu de tous les froids. C'est une
impression que j'ai eue. Les journalistes de pointe en
viennent peut-être à éprouver un froid définitif. Je suis
portée à l'aimer. J'ai des envies de le réchauffer. Ses
yeux ont regardé l'écran. Il ne peut pas me voir, mais
moi je sais qu'il m'a regardée. La couleur de ses yeux a
changé. On aurait dit des lueurs jaunes.

Le chef a une façon à lui de regarder les gens dans
les yeux. Sans ciller. Il pratique ça depuis longtemps. Il
se gonfle les poumons à bloc, cesse de respirer et fixe
son interlocuteur en plein dans les yeux. La plupart du

temps, il obtient un effet. Il ne sait pas toujours lequel, mais l'imprévisibilité de la chose ne fait que l'inciter à user de son procédé tant qu'il peut. « Une jouissance de tombeur de pont.» C'est ce qu'il a enregistré sur l'une de ses cassettes intimes. Il se souvient évidemment des soldats qui, en marchant au pas sur un pont, l'avaient fait s'écraser sous l'effet de la résonance. Sa voix vibre sur le ruban quand il fait référence aux soldats du pont. Quand le chef de police se met à comprendre un principe comme celui-là, il n'en revient jamais plus ensuite. On peut dire que l'effet de jouissance dure indéfiniment. Durant toute la période de l'exposition universelle de Montréal, de 1965 à 1967, il a compris quelque chose dans ce genre-là. Quelque chose de gros. Un gros principe. Le faux complot, inventé de toutes pièces et destiné à aspirer tous les autres, est vrai : de toute évidence. Difficile à croire : ce vieux truc connu de toutes les polices, de tous les milieux internationaux du crime.

Je sais que le conseiller Riverin soupçonne autre chose, lui.

Clavel ne bronche toujours pas. Il n'a aucune envie de couvrir l'événement Livernois. Un peu curieux, mais ce n'est pas au chef de police qu'il pense : ça se voit qu'il pense à quelqu'un d'autre. Il a regardé le paravent et j'ai su que c'est moi qui l'intéressais. Je me suis sentie vue. Je me suis sentie captée par une planète très puissante. Je résiste, mais l'attraction est indubitable.

Le chef, déçu de l'effet de non-résonance de son silence, s'est mis à lui poser toutes sortes de questions sur les Haïtiens. Comment avait-il pu, lui, réussir à s'en tirer ? « Il n'y a pas de fumée sans feu, n'est-ce pas ? »

Clavel ne parle de rien : ni de son entrevue avec les membres de l'OLH, dont j'avais eu toutes sortes d'échos par ailleurs, ni de sa discussion avec le rédacteur du journal. Il hausse les épaules de temps en temps. Le chef n'aime pas croire que le hasard est tout-puissant. « Les faits ne sont pas dus au hasard. Ni au anti-hasard d'ailleurs. Les faits ont une cause autrement profonde.» Dixit le chef.

« Je ne crois pas au hasard, Monsieur Clavel. Ce n'est pas le hasard qui vous a épargné. Qui vous a épargné ? »

Un autre haussement d'épaules. Clavel a de nouveau jeté un œil de mon côté.

« Vous ne savez peut-être pas ce dont je veux parler ? Pourquoi vous taisez-vous tant si vous ne savez rien ? Vous devriez normalement, si vous ne savez vraiment rien, le dire ouvertement.»

Clavel n'a même pas souri.

« Vous avez l'œil porté à peser les gens, Monsieur Clavel. Je connais ça, les journalistes qui pensent avoir les yeux en forme de balance. Vous m'avez pesé et trouvé trop léger peut-être ? J'ai le bras lourd. Tout Clavel que vous êtes, il vaudrait mieux pour vous que vous parliez. Ne pensez pas échapper à ma longue-vue, ni à mon sismographe. Vos oscillations sont toutes enregistrées. Croyez-moi ! Je vous ai à l'œil.»

Simon Clavel avait eu un battement de cils, comme si le mot lui était passé tout près du visage. De côté, on aurait dit un clin d'œil, mais ce n'était pas un clin d'œil comme on en voit d'ordinaire.

Clavel s'est levé : le chef avait dû lui faire un signe de tête. Il est sorti sans un mot, comme s'il avait eu un rendez-vous urgent.»

30

« AIMER OU NE PAS AIMER »
BRIND'AMOUR–1966

« Aujourd'hui, j'ai tout fait pour tuer la passion que j'ai pour toi. C'est un mal que je voudrais extirper. Tu n'existes même pas. Avec tes petits yeux, ton gros derrière, tes cauchemars, ta constipation chronique. Toutes ces pilules que tu prends : que tu caches dans une boîte à bonbons. Je n'ai aucune raison de t'aimer. Je te parle et tu ne réponds pas. Tu te fies à moi : c'est moi qui fais tout. Tu me fais pleine confiance. Je signe ton nom aussi bien que toi. Tu ne veux rien savoir de ton courrier. Je prends tes décisions. Toi, tu fais semblant d'être là.

Tu dors trop, tu as trop de distractions. Tu n'es pas là, même quand tu es là. Tu grossis depuis que je te connais. Tu es devenu monstrueux. T'en rend-tu compte seulement quand tu te regardes dans le miroir ? Quand tu me parles, tu es la sincérité même : de l'agression pure et simple. Ta vérité comme un couteau.

Un signe, une caresse sur les cheveux de temps en temps, c'est trop te demander. Quand je suis arrivée, tu m'aurais couchée sur le bureau pour une dictée rapide, oui. Pas de caresses sur les cheveux. Rien qu'une agression vite faite, une guerre éclair, sans projet et sans remords. Un présent ! Tu aurais tiré ton coup sans me regarder. La robe par-dessus la tête. Tes techniques étaient connues. Brutales et instantanées.

Je t'aime encore. Je ne sais pas pourquoi. Tu as tout pour attirer la haine. J'ai essayé de partir. Des nuits à prendre des résolutions. Qu'est-ce que tu m'as fait ? Je ne crois pas à l'amour éternel. Je ne crois pas à mon amour pour toi et pourtant je t'aime. Tu me tiens à cœur. Tu me tiens à corps. Tous ceux que j'ai aimés n'ont été que succédanés. J'aurais voulu que tu me fasses un signe. Tu es ma bien-aimée, Brind'Amour !

Aimer, ce n'est pas savoir. Ce n'est pas être sûre. Ni presque sûre. Aucune certitude, aucun repos dans l'amour. Aucune compréhension. L'incertitude totale. Aimer comme je t'aime, c'est me mettre la tête sur le bûcher, comme Thomas More.

J'ai voulu te comprendre, te saisir par l'esprit, par le corps, par les cinq sens, par l'autre sens : le sens commun, le sens fabuleux qui ressemble au non-sens à s'y méprendre.

Aimer, c'est vouloir aimer. Je le sais et j'ai une volonté à transporter les montagnes de la Terre, de la Lune et de Jupiter. On dirait que j'ai décidé de t'aimer. Tu t'arranges pour ne pas me toucher. Tu as peur de moi et de cet amour que j'ai pour toi. Tu me gardes près de toi. Tu ne veux pas me perdre, mais tu ne veux rien me donner. Tu me fais pleine confiance : c'est ta force. Mais l'amour fatigue le cœur. De plus en plus, les succédanés me sont nécessaires. Je me roule dans le mitan de toutes sortes de lits pour te narguer. Tu es au courant. On dirait que ça ne te touche même pas. Tu es partout en moi. Mais surtout dans le feu central. Hyatt a une expression vulgaire qu'il utilise en riant. Il a raison de rire. S'il a envie de rire, il faut qu'il rie. Si je pouvais enfin te haïr. Si je pouvais enfin me débarrasser de ce mal qui empire à mesure que ton indifférence prend forme. Tu me prends pour acquise.

Hyatt me dit que ce que j'aime de toi, c'est la souffrance spirituelle que tu m'infliges. Il dit que tu aurais fait un pacte avec moi sans m'en parler. Tu m'aurais hypnotisée en quelque sorte. Tu serais mon âme souffrante. Il répète des histoires de son grand-père, Beauceron parti travailler dans les moulins de Biddeford. Je sentirais ta souffrance et c'est ça qui m'attirerait en toi. Mon amour ne serait qu'infinie pitié. Toi, tu n'aimes que Montréal, au fond. Tu n'as jamais rien aimé à part Montréal. Hyatt me fait t'oublier un peu. Son cynisme fond pourtant : quand il est avec moi. Il te jette le mauvais œil. Il espère que les assassins réussiront à te tuer en 1967. Moi, je te défends, je te sauve tout le temps. Je veux te sauver.

Quand tu es là, dans le même bureau que moi, je me sens mal, mais en même temps, c'est une souffrance qui a un goût de revenez-y. C'est Hyatt qui dit ça, qui se vante d'avoir un goût de revenez-y, lui aussi. C'est vrai qu'il a un goût de viande froide, de légumes du printemps, un goût d'asperge nouvelle.

Cette lettre, je ne te l'enverrai pas. S'il fallait que je me laisse aller à l'envoyer. Quelle horreur ! Quel sentiment monstrueux, quelle passion monstrueuse ! J'aspire à la délivrance.

Le pire mal, c'est l'amour que j'ai pour toi. Heureusement que je n'en dis rien. Vraiment rien. Au début, j'ai bien failli te faire des déclarations. Le silence est indiqué, quand on ressent ce que je ressens pour toi. Impardonnable, en ces années de féminisme radical. Je suis une féministe radicale. Je lutte pour que la justice soit faite aux femmes partout. Souvent, j'ai usé de la confiance que tu me faisais pour que justice soit faite. Tu le savais après coup. Tu souriais. C'est toi qui prenais le mérite.

Même ici, dans mon appartement, tu es là. Là tout le temps. Je suis en ta présence. Il m'arrive de te parler, de te demander une caresse sur les cheveux, un mot d'amour. Ta présence se fait plus ou moins intense selon les heures, selon les jours. Certains soirs de fatigue, d'ahurissement, je suis obligée de me le répéter avec toute la ferveur, toute la volonté dont je suis capable : je me mets en la présence de celui que j'aime. Je me pense avec toi. Même quand Hyatt vient me rejoindre, même quand il me fait des caresses précises, c'est en ta présence que je suis. C'est toi qui m'écrases, qui me coupes le souffle, c'est toi qui me rends malade avec ton silence, ta volonté de non-intervention. Incompréhensible monstre. Je le dis, je l'écris. Intouchable maire. On ne te touche pas. Passé maître dans l'esquive. Pourquoi n'as-tu jamais voulu venir ici une nuit ? Rien qu'une. J'aurais tant voulu savoir le goût que tu as. Ne me touche pas, Brind'Amour. Ne cherche pas à me toucher. C'est mieux comme ça. Si je répondais à ton amour, tu cesserais de m'aimer. Pourquoi ?

Tu ne mérites pas tant d'amour. Pendant des semaines, j'ai essayé de t'ignorer. J'avais décidé de couper dans le vif. Assez. Hyatt m'avait amené à la mer en septembre. Il était allé voir sa famille à Biddeford. Il était allé faire son rapport à son patron. Je savais qu'il était sur la corde raide et qu'il risquait gros à faire ce qu'il faisait. Il inventait toutes sortes d'informations que j'étais supposée lui donner. Il m'appelait : ses vacances à la vie. « Tu n'es pas vraie Brind'Amour, tu me reposes de la réalité. Tes notes sont effrayantes de candeur. Il faut que je devine tout, que je forge tous les renseignements que tu ne veux pas me donner. Il va sauter ton Oliphant. C'est fatal. Il va sauter dans une limousine décapotée ou sur un balcon à ciel ouvert. C'est écrit, c'est planifié.» Non il ne sautera pas. Je suis là, moi. Je suis là tous les jours avec lui. Hyatt riait au bord de la mer. Il faisait beau : un mois de septembre fabuleux. On s'est baignés dans l'Atlantique glacial. On entrait dans les vagues en courant, on ressortait en courant. On criait de plaisir et de volupté. Le chalet de ses parents était petit, tout en recoins. Le matelas était humide, le vieux sommier grinçait. Tout l'après-midi à faire la preuve de quelque chose. J'avais décidé d'en finir avec le mal d'Oliphant, comme Hyatt appelait mon amour pour toi.

Le lendemain, je me suis levée en douce, j'ai enfilé des jeans, un col roulé, un chandail, un K-Way, des Adidas, et je suis allé voir se lever le soleil : juste en face de moi. Il faisait froid. Quelque chose de glacial dans l'air, dans la mer qui montait encore, qui me mettait du sel sur le visage. J'ai vu un trou dans le sable qu'avaient creusé les enfants. La mer y entrait. Le maire y entrait. Comme je n'enverrai pas ma lettre, je laisse mon image telle quelle. Le soleil s'est levé rouge. Immense. J'ai ressenti dans tout le corps, dans toute l'âme, dans tout l'esprit, un plaisir qui touchait de si près à la souffrance que j'ai plié. J'ai dû m'accroupir : je serais morte.

Le calme souligné de cris d'oiseaux marins. Les grandes eaux, mais en douce. La mer montait jusqu'à mes pieds. Le maire montait jusqu'à moi : était monté. Ma résolution était tombée : celle de me débarrasser de mon amour, de cet amour plus encombrant, plus pesant au ventre qu'une planète. Je me suis sentie grosse de toi. L'envie revenait de t'expulser par des contractions indubitables. On avait mangé des palourdes la veille. Le mal de ventre n'avait rien de fictif.

Hyatt riait tout le temps. Content d'être avec moi dans cette mission qu'il réussissait à peine à rendre plausible. «Force-toi, Brind'Amour. Donne-moi des renseignements valables. Qu'est-ce que ça peut te faire ? Il va sauter ton maire. De toute façon, il va sauter.» Non, je le sauverai. Il riait en déjeunant avec moi derrière le chalet, sous les pins : si odorants qu'on ne savait plus si on sentait ou si on goûtait l'arôme.

Il riait de ce que je lui racontais. Le maire entre dans le petit trou. «Comme renseignement, ça sort de l'ordinaire. Viens-tu te baigner ? Viens. On va entrer dans le maire. Tu veux être comprise par le maire ? La meilleure façon, c'est de venir te baigner dedans. Pas question de laisser la mer entrer dans un trou creusé dans le sable. Renversons la situation, c'est beaucoup plus sensé. Viens, tu seras englobée, imbibée, pénétrée partout partout. Peux-tu te faire une image de ça : ton maire en face, gras et monstrueux et stupide et incompréhensif et indifférent, tu entres dedans, tu plonges dedans, tu le violes en quelque sorte. Victoire. Tu me rajeunis, Brind'Amour. Je la connais cette plage-là. La plus belle plage du Maine. Une nuit de tonnerre et d'éclairs, je me suis monté une érection en face de la mer comme tu n'en as jamais vu. J'ai joui face à la mer, au milieu des éclairs et du tonnerre comme jamais je n'avais joui. Je criais des insanités. Infantilisme ! Candeur naïve ! On est candide Brind'Amour. Comme agent de la CIA, je fais pas vrai. À cause de toi, je suis devenu aussi jeune que toi. À cause de ton maire insignifiant, je me mets à communier avec toute la mer.»

Hyatt courait, plantait la culbute, faisait la roue. Moi aussi. Essoufflés, épuisés, on s'était laissés tomber sur le sable glacé. Le soleil s'était caché : il allait pleuvoir. Assis face à la vague de tête on l'appelait. On faisait de grands gestes. «Un ogre, c'est un ogre, ce maire-là. Te rends-tu compte au moins que c'est un ogre ? Tu devrais faire comme la chatte bottée. Tu le prends par l'orgueil d'abord. Es-tu capable de te transformer en

océan ? Wow ! Et tu trembles de froid. Es-tu capable de
te transformer en chip BBQ ? Et tu le manges. Tu le
digères et tu le chies comme il se doit. Cesse de sourire
comme ça. Tu me rends malade Brind'Amour. C'est
grave. Il n'a rien pour attirer l'amour. C'est un monstre
d'orgueil, un monstre d'égoïsme, un monstre. Je ris,
mais j'ai envie d'en pleurer. Heureusement qu'il va
sauter. Si personne ne réussit, moi, je réussirai.» Non
non. « Tu l'aimeras même mort ? Réduit en cendres ? En
poussière ?» Non non, je le sauverai.

L'idée de le manger en chip BBQ m'avait émerveillée.
Le manger ! Es-tu capable de te transformer en quelque
chose de petit petit ?

Tu étais là, partout avec nous. Hyatt va en venir à te
haïr moins. Il dit que tu nous sers de substratum quand
on fait l'amour. Plus il va, plus il se détend. Il rit presque
tout le temps. Même quand il ne rit pas, on sent qu'il
pourrait rire. Il continue de dire que tu n'as rien pour
attirer l'amour mais quand je lui parle de ton amour
pour ta ville, il a des gestes qui en disent long. Il va finir
par te confondre avec Montréal et il aime Montréal.
C'est laid, c'est monstrueux mais c'est une ville atta-
chante. Peut-être parce que son grand-père, tout
Beauceron qu'il était dans l'âme, avait parlé de Montréal
comme d'une ville aux cent clochers. Enfant, à Biddeford,
il avait rêvé d'un concert de cloches à midi juste, au
solstice d'été ou à six heures du soir en novembre,
quand il pleut.

Quand on va manger à *Altitude 737*, au faîte de la
croix de la place Ville-Marie, il dit toujours en éclatant
de rire : «Montréal, Montréal, combien de fois n'ai-je
pas tenté de faire sauter ton maire en l'air !» Il prend
toujours le buffet et mange toujours comme un ogre. Il
reste mince et dur, comme si toutes les calories passaient
en énergie. Je ne sais pas son âge. Marielle nous a vus
ensemble. Il lui a paru sans âge. «Il a l'air d'un poisson

couteau. » C'est ce qu'elle m'a dit. « Comment peux-tu
l'aimer ? L'aimes-tu, Alice ? Tu le laisses te prendre par
le cou en public ? Tu te laisses caresser les reins en
public ? Tu vas perdre ta réputation. » Moi, je m'étais dit
que ça te viendrait aux oreilles et que tu serais jaloux de
moi. Drôle d'idée : c'est jaloux de lui que j'aurais dû
écrire. Je me serais dit que tu serais jaloux de moi d'une
jalousie immense, énorme. Une jalousie comme celle
d'Othello le Maure. Othello, le monstre de jalousie. Ça
n'a pas dû te venir aux oreilles. Tu ne vois rien, tu
n'écoutes rien. Quand on veut se sentir aimé de toi, il
faut faire partie intégrante de ta ville.

Es-tu capable de te transformer en quelque chose de
petit petit ? Ça me fait un effet terrifiant. Crains
l'éruption du mont Royal. Oliphant : ogre magicien,
maire sorcier qui se vante de ses pouvoirs. Crains la
chatte bottée. Tu ne ris pas. Tu ne ris jamais. Tu ris de
temps en temps. Jaune. Même quand tu ris, on sent que
tu pourrais ne pas rire.

T'amener à te changer en chip BBQ. Hyatt a des
idées d'espion, des idées effrayantes. Il me dit que je
deviendrais mairesse, femme de maire, mère de maire,
fille de pélican. Il est rusé. Il me dit qu'il voudrait
travailler pour moi jusqu'à la fin des temps. Il serait
mon espion, mon agent secret.

Douter, c'est tout perdre. Il ne faut pas douter. Mon
amour comme un roc, comme un volcan en plein milieu
de la ville. Je sens le besoin des comparaisons baroques.
Quand j'ai écrit ça, je me sens mieux. Je ne peux pas
douter de la phrase : elle est là, sous mes yeux. Le plaisir
de la regarder, de te regarder enfermé dans un mot.
Comme si le mot t'avait avalé.

Hyatt me dit que j'ai des yeux de méduse quand je
touche à l'orgasme. Comme si j'avais défait tout le
chemin de l'évolution, comme si je ramenais en 1966

cette image des premiers yeux. Je t'aime et je crois en mon amour pour toi. L'écrire, c'est ne plus pouvoir douter. La confiance en toi comme suprême ruse.

Je mange une chip BBQ par jour. Depuis que Hyatt m'a passé le truc, je ne saute pas une journée. Entre espions, il faut s'entraider.

Moi, je sens l'astuce et la fragilité de tous les artifices, de tous les faire-accroire et de tous les faux-semblants. Mais j'ai besoin de ce faux-semblant désormais. Je mange ma chip BBQ et je voudrais avoir une certitude. Quand Hyatt me voit t'avaler, te croquer, ça l'excite à tout coup. Il est drôle. Mais moi, plus je répète le geste : chaque jour qui vient, plus je suis fébrile. Je voudrais une certitude de te tenir, de te serrer. Amour, haine : courant alternatif. J'en arrive, certains jours, à un rituel barbare, cannibale : je pose la chip BBQ dans une petite assiette de porcelaine qui me vient de mon arrière-grand-mère et là, je te regarde, je te saisis et je te mange très vite. Comme si je craignais que tu redeviennes ogre. Ensuite, j'écoute mon estomac pour voir s'il n'y aurait pas de violence intérieure. Aucune : tu te fais doux, tu te fais vitamines, calories, sel. Je t'absorbe.

Heureusement que je ne t'envoie pas mes lettres.

Je t'aime. Rien ne m'empêchera de t'aimer. Hyatt t'appelle le monstre, de plus en plus souvent. Il le dit tout bas mais je l'entends. Je ne tomberai pas dans le panneau. Cesser de t'aimer : la calamité indubitable. Je te fais confiance. Tu es ce que tu es et c'est comme ça. Même les jours où tout va mal. Où Hyatt est massacrant parce qu'il doit faire son rapport et qu'il ne sait pas quoi inventer, même quand je me sens écorchée par ton indifférence, par tes yeux qui fuient les miens, même quand je me sens décapée par la fatigue, par les épreuves en chaîne que tu m'infliges, je ne perds pas mon amour.

Hyatt dit que je n'ai pas le sens des proportions. Il a raison. Je sais qu'il a raison. Je ne sais plus pourquoi je t'aime. Pour rien. Je ne veux pas perdre l'amour. Drôle d'idée. Hyatt dit que mon amour pour toi n'est que volonté d'amour. Il a toujours raison. Je ne veux pas perdre ma volonté, ma capacité de t'aimer. Ce que j'ai de meilleur dans la vie : la possibilité de t'aimer.

Quel auteur ancien disait qu'on se lasse de tout sauf de comprendre ? Penses-tu qu'on se lasse de ne pas comprendre ? Ce ne serait pas de la lassitude mais de la lâcheté. Le plus difficile, c'est de ne pas comprendre, de ne jamais comprendre. D'être acculée à l'incompréhension. À ton incompréhension.

Je ne te comprends pas, Oliphant. Je voudrais avoir pu te convaincre de te transformer vraiment en chip BBQ. Avoir incité l'ogre à se transformer vraiment en quelque chose de tout petit petit petit. Je ne pourrai plus jamais manger des chips sans arrière-pensées.

Tu es vraiment la longue maladie qui court sous le sol où je marche. Laisse-moi utiliser des figures terrestres, des figures maritimes. De toute façon, cette lettre ne te sera jamais envoyée.

Tout le reste de ma vie, mes amours, ne sont qu'harmonies, ne sont qu'architectures : montages par-dessus montages sur la mélodie courante.»

31

AUTANT EN EMPORTE BRIND'AMOUR
1979

Brind'Amour, quelques jours plus tard, avait tenté de suivre Clavel. Après avoir zigzagué dans les rues avoisinantes, elle l'avait perdu de vue. Une drôle de femme à l'imperméable jaune se déplaçait dans ces rues suivie d'une vieille naine. Un chat noir, aussi gros qu'une panthère, tirait sur sa laisse.

Brind'Amour, malgré la fascination qu'elle éprouve pour les chats, s'est retenue de lui parler. Le regard de la femme en jaune lui donnait des idées de vertige.

Clavel a disparu. En mal de suivre quelqu'un elle a donc décidé de suivre ce drôle d'équipage. La femme en jaune ne bouge plus : elle s'est arrêtée devant la porte d'une maison inhabitée. Aucun des murs visibles n'est perpendiculaire au toit et ce toit est dangereusement concave. Une Volkswagen orangée s'est collée au trottoir. Brind'Amour ne voit que d'un œil, cachée derrière un bout de clôture. La femme en jaune et la naine n'ont pas vraiment bougé. Elles sont comme tendues, prêtes à bondir. La portière s'est ouverte de l'intérieur et le tout s'est trouvé aspiré en une fraction de seconde.

Si elle a réussi à trouver un taxi, si ce taxi a accepté de suivre la petite voiture orangée, c'est qu'elle a été chanceuse. Elle l'avoue dans le résumé détaillé qu'elle fait de ces événements, plus loin dans le dossier.

Tant de dévouement, tant de dévotion pour son maire n'auraient pas dû rester sans récompense. Régulièrement, elle en vient à se poser des questions. Dans certaines pages, ces questions se font très angoissantes. Qu'est-ce qui la pousse à continuer son enquête ? Elle en vient à se dire que Clavel est en train de devenir aussi maniaque et aussi contourné que le conseiller Riverin. Elle frissonne. Rien que d'y penser, elle frissonne. Au lieu de se marier, d'avoir une famille, comme ses sœurs et ses cousines, elle est restée là, à l'hôtel de ville, à s'exposer aux intempéries et aux mauvaises humeurs du maire.

La Volkswagen est sortie de la ville. Brind'Amour n'aurait pas pensé se retrouver si vite sur l'autoroute des Laurentides. Le chauffeur devait savoir depuis le début qu'il était suivi : après avoir bifurqué sur une petite route, après avoir tourné autour d'un bosquet de bouleaux, il s'est arrêté net.

Le chauffeur de taxi regrette d'avoir accepté de faire cette filature. Un besoin l'a pris de jouer dans ce film hasardeux.

L'autre lui fait signe d'ouvrir sa vitre mais il ne la baisse que de quelques centimètres.

« C'est une propriété privée ici. Vous vous trompez de chemin. Reculez. Ça vaut mieux pour tout le monde. »

Aussitôt dit, aussitôt fait. Mais Brind'Amour avait eu le temps de voir le visage de l'homme. Le temps de voir ses yeux : calmes, éteints.

Le chauffeur voulait retourner à Montréal. Elle, non.

« Qu'est-ce que vous leur voulez, à ces gens-là ? Voulez-vous que j'avertisse la police ? »

« Je suis la police. »

« Ça devrait être défendu. Une femme ! »

Brind'Amour l'a payé, s'est réfugiée dans le bosquet : le temps de voir le taxi reprendre la route qui mène à l'autoroute.

Un besoin irrépressible de continuer la poursuite. Que ce soit insensé ne change rien au plaisir qu'elle éprouve. Les Laurentides en septembre : la buée bleue à l'horizon, les couleurs qui sortent des arbres en vibrations ostensibles. Elle voit dans la nature toutes sortes de signes de connivence, mais elle ne voit plus la Volkswagen orangée. Pas de maisons nulle part. Elle est seule entre ciel et terre.

Pourquoi son maire n'avait-il jamais fait mention de son héroïsme continuel ? De son attention continuelle ? De son intelligence au-dessus de la moyenne ? Jamais rien. Comme s'il n'en avait rien su. Tous les coups qu'elle avait détournés de lui. Elle avait un flair pour les tueurs, pour les gens mal intentionnés surtout. Quand il pleuvait ou que l'air était saturé d'humidité, des points névralgiques se mettaient à bouillir sur son corps : sa jambe fracturée, il y a combien d'années, son poignet cassé à angle droit, son cou déboîté. Des blessures de guerre : une guerre qui n'avait jamais vraiment cessé. Le maire la plaignait un peu quand il la voyait dans le plâtre ou un carcan autour du cou. Mais ce qui ressortait, ce n'était pas la reconnaissance. Elle voyait le haussement d'épaules, le sourire imperceptible : elle n'était qu'une malchanceuse, une malhabile.

Il n'a jamais rien su, Oliphant, de son héroïsme caché : c'est peut-être la raison de son silence. Il était là, à avoir survécu à l'attentat, encombrant et heureux! Sans même savoir que c'était à elle qu'il devait la vie. Elle était allée jusqu'à frayer avec un agent de la CIA. Le double jeu l'avait fait jouir d'une jouissance vraiment incroyable. Ça, elle ne se le cachait pas. Mais elle avait dû jouer serré.

Un chapitre chaud, chaleureux de sa vie : Hyatt. Elle l'avait mis au courant de choses sans importance pendant que lui l'informait de choses essentielles. Il en savait plus qu'il pensait en savoir. Ce qu'il lui disait ne tombait pas dans une oreille ignorante. Elle a toujours eu l'oreille féconde. Avec ce qu'elle savait, ce qu'il lui disait devenait important. Elle cultivait les renseignements. Les renseignements lui poussaient avec rapidité dans le creux de l'oreille. Elle comprenait mieux que lui ce qu'il lui disait. Il n'a jamais compris la portée de ce qu'il lui jetait négligemment. Il croyait à la candeur de Brind'-Amour! Ça, elle l'a su tout au long de leur relation : il la croyait candide!

Elle marche sur la route qu'a prise la Volkswagen. Un peu à côté de la route plutôt. Elle longe la route, les pieds dans les broussailles des petits bois odorants.

Elle suit un plan dont elle ne sait pas elle-même toute l'envergure et ça lui suffit. Et Hyatt qui pensait l'amener à lui dire des secrets d'État. Il y a vraiment pensé. Brind'Amour l'avait laissé balayer l'écran de ses questions insidieuses. Ses questions à lui la renseignaient elle, sur toutes sortes de choses. Elle en jouit encore, rien qu'à y penser. Elle en était venue à utiliser avec lui une sorte de jargon qui rendait Hyatt songeur. Même s'il riait beaucoup, il était songeur quand même. Il donnait probablement à ce qu'elle lui disait toutes sortes de significations imprévues. Plus que probable!

Elle ne pense pas, en toute honnêteté, lui avoir jamais rien dit d'important : des détails qu'il devait grossir pour les besoins de son service.

Elle a les bas percés, les souliers mouillés, pleins de boue. Elle continue, portée par une extase comme elle en a connue du temps de Hyatt. C'est un bon signe. Une piste est une piste.

Elle se met plein le nez d'odeurs d'épinettes et de terre mouillée. Certaines secondes sont sûrement allongées de chants d'oiseaux. Certaines secondes n'en finissent plus quand elle se met à repenser à Hyatt. Une confusion de sentiments à lui rompre le cœur, à lui faire éclater des chromosomes. Le café fait éclater les chromosomes, c'est connu.

Elle en avait tant bu avec Hyatt qu'elle en avait fait une maladie à la fin de leur relation. Chaque fois que le mot relation lui traverse l'esprit, elle se met à brûler ici et là : tous ses points névralgiques pointent et toutes sortes d'autres points aussi. Points marqués d'avance : nœuds du corps offerts aux héroïsmes futurs.

Hyatt n'avait pas su grand-chose : il faut qu'elle se le redise. Il avait dû comprendre, malgré tous ses espoirs, qu'elle ne lui dirait jamais rien d'important. Il s'était arrangé pour faire durer leur relation. Appuyée à un bouleau, elle frissonne de plaisir. L'automne est tout près malgré le beau temps. Elle croit entendre le conseiller Riverin poser des questions impertinentes au maire. Son dossier ne vaudrait rien sans les photocopies qu'elle lui a toujours laissé faire. Il n'a toujours photocopié que ce qu'elle lui laissait photocopier.

Brind'Amour en est à se dire que l'enquête de Riverin a quelque chose de plus insensé que la sienne. Elle se demande quoi au juste. Il a toujours eu l'impression que tout le monde lui cachait quelque chose. Comme si quelqu'un allait se donner la peine de même penser à lui : inoffensif forceur de plantes. Elle se demande pourquoi cette manie qu'a le conseiller de forcer les plantes dans son sous-sol lui fait horreur, la plonge dans une rage meurtrière. Il n'est pas aussi inoffensif qu'on pense. On ne force pas innocemment des plantes à fleurir hors saison.

Brind'Amour a quitté le fossé. Elle s'est retrouvée sur le haut d'une falaise boisée. Plus de route. La route finit dans le ravin.

Elle n'a pas pu être distraite au point de manquer une courbe ou une route de côté. Une barrière où un vieil écriteau pend : Dead end.

Depuis quelques longues secondes, elle est perdue dans une terrible contemplation : cette beauté sauvage, ce bleu à l'horizon, typique des Laurentides.

Elle n'a rien entendu. Elle s'est sentie brusquement partir en un vertige aigu : une piqûre au bras comme elle se souvient d'en avoir subie dans la salle d'opération d'un hôpital de Montréal en 1967. On lui avait dit : deux secondes et vous allez dormir profondément. L'anesthésiste avait des yeux orientaux et des lèvres excessivement minces.

32

«ON SE LASSE DE NE PAS ÊTRE AIMÉE»
BRIND'AMOUR–1966

«Hallucination. Hors temps. Voir des choses qui n'existent pas. Entendre des sons, des mots, des phrases. Sensations correspondantes. Les refuser. Les subir.

Cette neige de septembre n'est pas une hallucination. Sonate pour violon et piano : pas une hallucination non plus. Les autos sur Saint-Denis qui sucent et sont sucées : le bruit de succion n'est pas une hallucination. Le mal de tête non plus. La névralgie dans les mâchoires non plus. L'angoisse, la fatigue : pas une hallucination non plus.

Oliphant qui me dit : tu es ma bien-aimée, comme on disait aux anciens temps des anciennes amours : ça, c'est une hallucination. Ne pas chercher à l'entendre. Ne pas tendre l'oreille. Je ne veux plus l'aimer. C'est fini. Je voudrais l'aimer. Aujourd'hui, j'en suis au conditionnel. Un conditionnel logé creux sous les orbites. Là où sourd le mal de tête.

La première neige en septembre. J'aime la première neige. Comme une impossibilité sur tout ce vert.

Écouter. Appeler une hallucination de beauté. Le cœur qui bat dans la gorge. La piano et le violon de la sonate qui se répondent en harmoniques dans les oreilles douloureuses. Se sentir prête pour une hallucination d'envergure. Qui ne vient pas. Se fait attendre. L'archange viendrait. Oliphant viendrait me dire : tu es ma bien-aimée Alice. J'en ai les oreilles assourdies, rien qu'à y penser.

À treize ans : s'être sentie disgraciée tout d'un coup. Avoir cherché la grâce quelque part en ce grand corps que j'avais. Dans ces grands pieds. Alice aux grands pieds. Avoir cherché la grâce, désiré la grâce. S'être exercée à marcher, à parler, à manger avec grâce. De quelque façon, avoir réussi, mais la disgrâce est restée sous-jacente. La disgrâce mal vaincue : inhérente à ce grand corps qui m'encombrait.

Appeler une hallucination monstrueuse, énorme. Écouter de toutes mes oreilles : tu es ma bien-aimée. Oliphant, dis-moi que je suis gracieuse. Ce mot-là dans la bouche de ma mère. Toujours adressé à d'autres filles. À mes amies, à mes ennemies. Moi, jamais je n'ai été photogénique. Jamais un photographe de génie. Jamais un photographe qui aurait eu de l'œil. Qui aurait vu en moi la beauté sous-jacente. Qui aurait vu en moi la recherche passionnée de beauté. Un photographe aurait réussi avec une technique nouvelle à montrer en moi l'invisible grâce. Un photographe halluciné se serait mis à me voir sous certain angle.

À quinze ans, je m'étais fait un auto-portrait. Se regarder dans le miroir et dessiner. Capter son propre regard est la chose la plus difficile. Comme si on ne s'était jamais vraiment vue. Avoir cherché la grâce : absente de partout. Ni dans les yeux trop pleins de hantise et de détresse, ni dans la bouche trop pleine, encadrée par une parenthèse trop marquée, ni dans le sillon près du nez hérité de mon père qui l'avait hérité de tous ses ancêtres. Le menton trop lourd. Le cou trop long. Cou de cygne? Non: cou de girafe. Pas d'auto-portrait réussi. Avoir regardé le résultat sans rire et sans pleurer. Connais-toi toi-même. À quinze ans, je m'étais dit que j'y arriverais. Une volonté de grâce.

Aujourd'hui, en 1966, j'en suis encore à me regarder dans le miroir et à appeler l'hallucination, la déclaration de beauté. Aujourd'hui, j'arrive à me voir mieux qu'à quinze ans : je me dis que je suis en train de perdre ce que je n'ai jamais eu. C'est un moment de décou-ragement. C'est la fatigue de ces semaines éprouvantes que je vis à la mairie. Avec ces complots d'assassinats qui sifflent de partout. Et Hyatt qui colle à moi, qui m'aime, qui me trouve belle, lui. Il faudrait que je fasse un transfert de voix. Tricher.

Tu es ma bien-aimée, ma belle, ma gracieuse. Jamais Hyatt ne bâtirait sa déclaration comme ça. Choisir les mots de mon hallucination. Je ne veux pas de confusion. J'essaie, en fermant les yeux, d'amorcer la voix qui se ferait entendre, qui sortirait de la bouche d'Oliphant, qui viendrait de loin et de tout près en même temps.

Tu es ma bien-aimée, malgré les apparences. Malgré la réalité visible, audible, olfactive. Malgré toutes les réalités sans importance. Tu es ma bien-aimée, ma gracieuse, ma belle.

Avoir tant désiré la grâce que j'en savais le goût. Comme si je l'avais sucée. Par tout le corps je l'avais sentie couler : comme de source.

Prête pour la voix qui annonce, pour l'archange, pour l'amour d'Oliphant. Attendre. Désirer. Le mal de tête, le mal de cœur, la neige de septembre, la sonate finie, les autos de plus en plus sucées sur Saint-Denis. Un chien qui jappe sans arrêt : un chien courant. L'envie

de mordre, le poing sur la tempe. L'avenir qui force : pas
d'hallucination bienfaisante.

Le coup sur l'oreille tout d'un coup. Le signe attendu.
Le souffle qui cogne dur : ouvre-toi. Ouvre le poing,
ouvre les oreilles, ouvre les yeux : l'hallucination est là.
Il faut être capable de la recevoir. Qu'elle ne soit pas
perdue.

Capable de l'inventer ? Capable de l'amorcer ? Amorcer la voix en même temps que l'audition. Dis-le Alice.
Dis-le toi-même : Alice, tu es ma bien-aimée. Aucune
envie de rire. L'idée risible pourtant. Si tu pouvais, sans
broncher, le dire. Le dire tout haut, à haute et intelligible
voix. La vraie façon d'amorcer l'amour, la grâce : se la
dire. Pour s'ouvrir les oreilles. Pour s'habituer aux sons
inhabituels. À la nouveauté de la déclaration, de l'annon-
ciation, de la révélation.

Ne ferme pas les yeux, Alice. Ouvre tout. Dis-le
tout haut : Alice, tu es ma bien-aimée, ma gracieuse, ma
beauté, ma belle. Réussir à le dire à haute et intelligible
voix, sans rire, sans broncher, sans frémir. Réussir
parce qu'on veut réussir. Avoir réussi à se faire pleurer.
On dirait un émerveillement attaché aux mots eux-
mêmes, aux mots tels quels : quel que soit le locuteur,
l'interlocuteur, l'interlocutrice. Inventer l'hallucination.
Incarner l'archange, soi-même.

Alice, tu as réussi à te faire l'annonciatrice. De grâce
et de beauté inédites jusqu'à ce jour. Les dire encore à
haute et intelligible voix. Tout haut. Profites-en pour te
prédire quelque chose de beau : un passé, un présent,
un avenir de toute beauté. »

33

CHACUN PARLE SA PROPRE LANGUE OU L'ENTENTE CORDIALE

« Riverin s'est toujours méfié de Brind'Amour. Chaque fois qu'il est question d'elle dans le dossier, on voit une phrase courte du conseiller ou un dessin : genre hiéroglyphe.

Qu'il l'ait aimée ne fait plus de doute quand on a passé à travers tout le dossier : même rapidement. Certains dessins sont des preuves irréfutables au moins d'une passion sporadique. Des caricatures plus succinctes que les autres ne laissent aucun doute sur la violence du sentiment qu'il éprouvait pour elle.

Un sentiment envahissant. Plus il l'aimait, plus il se méfiait d'elle. À partir du milieu du dossier, il y a une très grande quantité de cœurs sur tiges : évidente allusion à une Brind'Amour forcée à fleurir dans un sous-sol de conseiller. On n'invente pas une pareille chose. Qu'il ait eu des poussées de haine ne fait aucun doute non plus. Les désirs exacerbés fatiguent le cœur, c'est bien connu. Le conseiller a encore cet air fatigué des amoureux transis.

Quand, ici et là dans le dossier, on met la main sur une digression du conseiller, on se demande s'il ne va pas jusqu'à la soupçonner du pire. Il parle d'elle en toutes lettres et pourtant, on pourrait croire qu'elle est une bombe, une vipère, une calamité mondiale. C'est trop. Dire qu'il dépasse sa pensée ne servirait pas à grand-chose. Riverin écrit souvent à l'encre verte. Ces pages de digressions vertes, plus ou moins haineuses, sont d'autant plus reconnaissables et identifiables qu'elles sont toutes semblables ou presque toutes : toutes sur un papier quadrillé.

On en vient à se dire que Riverin ne dépasse pas sa pensée. Il se laisse écrire autre chose que sa pensée. On dirait qu'il se branche sur la pensée d'un autre. Une pensée qui serait autre chose qu'une pensée personnelle, individuelle. Une pensée complexe qui se serait formée quelque part au-dessus des cerveaux de plusieurs personnes. On a la curieuse sensation, la certitude presque de lire des choses impossibles données comme événements réels.

On s'était dit, à la première lecture, que tous ces textes de Riverin étaient symboliques. Purement et simplement symboliques. On se dit que non, aussitôt qu'on se met à relire l'une ou l'autre de ces pages quelques fois, d'affilée.

Ni des imaginations ni des figurations. Ce qu'on finirait par se dire si on continuait à lire encore, c'est que ces choses impossibles sont indubitables. Si on en lit une série et qu'on recommence à lire la série et non plus une seule de ces pages, on en est certain.

L'ensemble emporte la certitude. On touche une réalité indéniable. Brind'Amour ne peut pourtant pas être une bombe, elle ne peut pas avoir été l'Œil lui-même, le centre d'un ouragan mondial, d'un cyclone international. Riverin se détend en écrivant ainsi, branché sur l'autre cerveau, le grand.

Brind'Amour est une secrétaire compétente, dévouée, au-dessus de tout soupçon. Rien que de poser une pareille phrase en face de soi, après avoir lu les quadrillages de Riverin, est une expérience périlleuse. Comme si le conseiller avait réussi, avec ses écritures, ses hiéroglyphes, ses caricatures succinctes, non pas à semer le doute ici et là, sur toutes les pages où il est question d'elle, mais à désorganiser toute notre façon de voir et de lire Brind'Amour.

Avec son enquête, avec ce dossier luxuriant où les pièces sont emmêlées en un désordre éhonté, Riverin est devenu le maître d'œuvre, l'inventeur d'une machine impossible à ignorer.

Que le maire Oliphant et le chef Livernois fassent des gorges chaudes en parlant de ce dossier ne change rien à l'affaire. On en rit : c'est une chose que je me suis mis à savoir. Quand j'ai accepté de prendre la relève de Riverin, je ne savais pas à quoi m'en tenir. Dire que je le sais aujourd'hui serait mentir. Mais tous ceux devant qui j'ai fait mention du fait que je prenais la direction de l'enquête Riverin ont eu la même lueur maligne dans les yeux. Ah oui ? L'enquête Riverin !

Combien d'années depuis l'exposition universelle de Montréal ? Oliphant et de Gaulle n'ont pas été assassinés sur le Chemin du Roy. Ni ailleurs. Quel peut être l'intérêt de cette enfilade d'indices, de prémonitions, de fausses confessions, d'accusations mensongères ?

L'un des conseillers économiques du maire avait accepté d'en parler avec moi. On s'était rencontrés au *Bar Maritime* et on s'était sentis tous les deux en confiance.

« J'étais avec le maire Oliphant en 1966. J'étais au courant de tout ce qui se passait autour du maire. Qu'il y ait eu des fanatiques décidés à le tuer lors de la visite de de Gaulle, c'est certain : avéré. Surtout après la décision du Président français d'esquiver Ottawa, de s'arrêter à Montréal d'abord. »

« La GRC ne l'aurait pas assassiné pour si peu. »

Le conseiller économique riait beaucoup trop. Un besoin de rire le prenait comme d'éternuer : aussi irré-ductible, aussi irrépressible.

« Ils se sont essayés au leurre de la fausse bombe. »

Là, ce n'était plus du rire. Ça dégénérait en téles-copage au niveau des cordes vocales.

« Et Livernois était fier de son coup ! Pas possible. Un chef de police impossible. »

Ses phrases sortaient comme elles pouvaient, prises dans le rire rocailleux qui emportait tout : les consonnes, les voyelles, les intonations. Restait quelque chose de giclant. Il fallait espérer qu'il se calmerait avant l'arrivée du garçon.

« On pourrait penser que la chose serait restée secrète. Je veux dire le fait qu'il avait inventé le faux complot lui-même. »

C'était devenu un rire hystérique. On risque souvent de donner une fausse impression de candeur en voulant simplement faire une mise au point. Les larmes aux yeux, il avait choisi les plats les plus chers en disant que c'était lui qui payait : on ne rit pas comme ça tous les jours.

Il donnait plutôt l'impression de rire tout le temps.

« Drôle d'idée d'avoir accepté de vous charger d'un pareil dossier, Monsieur Lassonde. »

« Question de curiosité. Je connais Riverin depuis mes années de collège. Il n'aurait quand même pas ramassé tous ces documents pour rien. Il doit bien avoir une idée. »

« Pas une idée, non. Ce qui est arrivé, c'est qu'il s'est senti écarté de la production de la chose en question. C'est enrageant, ça : Oliphant et Livernois qui inventent un complot monstre sans lui demander sa participation. Il s'est senti tenu à l'écart. Il a cherché midi à quatorze heures. C'était un homme convenable avant ça, Riverin. Aujourd'hui, c'est un éclaté, un disloqué. »

« Il a toujours continué à pratiquer, malgré le dossier. Il est allé se recycler en Europe. En droit international. »

Rire en mangeant présente de sérieux dangers.

« Il fait semblant de se recycler en droit international. Ça fait belle lurette qu'il est sorti de tous les cycles. Il pratique le droit par oreille depuis l'exposition universelle. Le dossier y est pour quelque chose. »

« Un an en Europe, loin du dossier, ça va le sauver. »

« Il est plus près du dossier que jamais. C'est un dossier intégré, si on peut dire, qu'il a dans la tête et ailleurs dans le corps. Il va vous écrire. Comptez sur une correspondance volumineuse. »

« J'ai déjà reçu plusieurs pages. »

« Calligraphie extraordinaire. Savez-vous que les gens à qui il envoie ses lettres de moine les conservent ? Comme des œuvres d'art. Ils les encadrent. Ce qu'il écrit importe peu au fond. En général, c'est envolé, déphasé. »

« Déphasé ? »

« Le sens n'est jamais tout à fait où on le cherche. Il est là, mais pas tout à fait au bon endroit. On finit par savoir ce qu'il écrit, mais il ne faut pas s'arrêter à réfléchir au mot à mot. Il utilise une langue de plus en plus personnelle. »

« Ses associés ne trouvent pas à redire à cette pratique par oreille ? »

« Il paraît qu'il fait ce qu'il a à faire. Une routine. Et le maire Oliphant ne veut pas entendre parler de se séparer de lui. »

« Il est pourtant en Europe pour un an. »

« Le maire s'est mis à raconter que Riverin est en mission commandée. Secrète. Ultra-secrète. »

Le sabayon assourdissait les éclats de rire de Marten.

« Vous ne croyez pas à la mission secrète de Riverin ? »

« On peut tout croire quand il s'agit de Riverin. Tout est vrai et impossible en même temps. »

On respire mieux quand on quitte un homme au rire aussi déplacé. On pourrait aussi bien avoir descendu les rapides rocheux de quelque rivière.

On se dit qu'une lettre de Riverin serait la bienvenue. On se met à désirer lire ce qu'il écrit. Comme ça, pour rien. Qu'est-ce qui peut encore se dire de ce complot dont tout le monde semble avoir tout su dès le début ? Si Marten, conseiller économique de moyenne compétence, regardait Livernois se gourmer comme un idiot, comment Riverin a-t-il pu se sentir si malheureux d'avoir été tenu à l'écart ? Ce n'était pas un secret. Tout le monde autour de la mairie était au courant. Tout le monde riait de la grosse invention du chef.

À moins que le faux complot n'ait été que la couverture officielle, affichée, d'un autre complot, tout à fait réel, celui-là. À moins que Riverin n'ait vu juste. »

34

OÙ MÉLUSINE SE REND COMPTE
DE PLUSIEURS CHOSES

Cent gravures prises entre deux vitres de plastique mince. Sensation de légèreté. Bouhou à cent exemplaires. Lassonde a décidé de venir l'aider à les placer et à les vendre. Elle a loué un beau grand coin au pied de la croix de la place Ville-Marie. Des chevalets très légers, très résistants pour exposer les choses.

Clavel a refusé la gravure qu'elle lui avait offerte. Il est drôle. On aurait dit qu'il se mettait à voir le cœur du monde entre les lignes de Bouhou. Le centre infernal du monde. Elle pas. C'est un bon monstre, un monstre bénéfique. Elle se sent mieux depuis qu'elle l'a en face de son lit. Ses amis en ont tous un peu peur. Louis-Marie a mis un drap devant quand il est venu. Tu n'en as pas fait cent pareils? Presque pareils. La gravure, c'est un autre médium. Mais c'est lui, c'est bien lui. En veux-tu une? Cent dollars: un prix spécial pour toi. Je t'en donne le double si tu lui mets un drap sur la tête, au gros d'en face. Ça va être pire: un monstre invisible, c'est pire. Ça travaille par en dessous.

Ton style a changé, Mélusine. C'est encore de la géométrie. On dirait une quatrième dimension. Rien qu'une quatrième ? Regarde mieux que ça. Regarde ce tableau-là et dis-moi ce que tu en penses. Vite. Dis-moi quelque chose. Très beau. Je te l'achète, celui-là. Jamais. C'est mon point tournant, mon point de non-retour. Drôle d'idée de faire des monstres. J'ai fait un coup d'argent. Tu ne devrais pas signer ça. Tu fais du tort à ta signature. Je suis ce que je suis. Tête enflée !

Faire l'amour avec lui comme s'il était en train de se suicider. Se sentir complice. Elle, c'est quand elle fait des monstres qu'elle se suicide. Quand elle a fait ses cent gravures avec un soin de moine-artisan, elle a eu une sensation extraordinaire. Nouvelle. Et pourtant, elle fait souvent de la gravure. Elle aime changer de médium. L'art, c'est l'art et il lui arrive d'avoir des inspirations musicales. Comme Valéry en avait. À ne savoir qu'en faire. Elle s'était sentie en porte-à-faux quand ça lui était arrivé. Passer de la peinture à la gravure au fusain à la guitare à la danse, c'est une sensation étonnante. Un certain gauchissement, un décalage : comme une erreur sur la personne. Quelque chose lui serait dit en langue étrangère mais une langue proche de la sienne, une langue cousine. Un défaut d'élocution : on comprend quelque chose mais on se dit que c'est d'autre chose qu'il s'agit.

Bien polir ses surfaces de plastique : des deux côtés. Pas de taches de doigts. Mettre des gants blancs. Certaines des gravures sont mieux réussies, mieux venues : les cinq couleurs plus nettes, plus brillantes. Très beaux. Tous très beaux. Mais le seul qui emporte l'adhésion, c'est le gros en face. On dirait une fenêtre au milieu du mur. Un moyen de communication et quoi encore. La chambre est moins close. Ceux et celles qui viennent la voir sortent de là, quelque chose de neuf dans l'œil. Bouhou l'extra-temporel. Signé Mélusine.

Elle a numéroté ses gravures, comme elle leur aurait donné une note d'excellence. Comme elle note l'intensité du plaisir qu'elle a en faisant l'amour : de un à dix. Les gravures : de un à cent. Le mieux venu : cent sur cent. Qui s'apercevra qu'il est mieux venu ? Lassonde peut-être.

Elle ne sait pas où il en est dans le dossier Riverin. Une histoire incroyable. Il lui en a raconté des bouts, mais il pense tout le temps à sa femme morte : morte de leucémie. Leucémie galopante peut-être. Il a employé un autre mot. Un cousin de sa grand-mère est mort de comsomption galopante, de tuberculose galopante. Les médecins sont graves dans leur choix de mots. Elle se retient de dessiner un monstre galopant. Un cavalier et son cheval intégré. Pas un centaure. Un cheval et un cavalier pris ensemble dans le même galop. Marguerite Lassonde et sa leucémie en une seule personne : la leucémique. Il ne l'a jamais aimée, Lassonde, mais il a vécu avec elle longtemps. Il a dormi longtemps dans le même lit qu'elle. Elle a tout ignoré du plaisir d'amour : ignorance crasse dont elle ne voulait pas sortir.

Des profondeurs de l'abîme, il guette une voix. Tu guettes une voix, Lassonde ? Tu as l'oreille aux aguets, ça se voit. Les gravures enveloppées par paquets de dix. C'est assez lourd. Les chevalets sont ficelés, la table pliée, les deux chaises en place.

Il n'est pas encore là, Lassonde. Être en avance. Prendre des crayons de couleurs bien aiguisés, une grande tablette d'esquisses et faire une leucémique au galop. Donner une voix à la hantise de Lassonde : entre chant et hennissement. Le dossier de Riverin, comparé à ce qu'il va se mettre à entendre...

Elle serait en peine de dessiner un cheval sans modèle et pourtant, les lignes qu'elle ajoute aux lignes sur sa tablette, les couleurs qu'elle pose près des couleurs

font ressortir un cheval de course comme elle n'en a
jamais vu sur terre : une merveille d'élan, les pattes
fines, les naseaux pincés, les yeux hors du temps,
comme ceux de Bouhou. C'est la technique des lignes
qui donne cette sensation sortie du temps. Ni passé, ni
présent, ni futur, et pourtant tout est là. Illusion de
sortie du temps. On ne sort pas Marguerite. Prise à
jamais sur ta steppe venteuse, des ronflements plein les
naseaux. Très beau. Bourrée de talent, Mélusine.
« Titrée : La Leucémique. Signée : Mélusine. Ceci est
l'original. Cent gravures ont été tirées par la suite. Non,
aucune gravure tirée : ni hier, ni aujourd'hui, ni demain. »
Tout ça écrit dessus, vers le bas.

Lassonde s'en vient. La fenêtre ouverte sur les
bruits de la rue. Sa portière a un crissement à elle toute
seule. Il s'en vient. À nous deux, on fera moins d'allers
et retours pour descendre tout ça. Il est encore très tôt.
Arriver de bonne heure sur le trottoir. Avant que le
soleil plombe. Voir le coin s'animer de plus en plus. Les
curieux et les indifférents. Les acheteurs éventuels. Les
touristes qui se piquent d'avoir de l'œil, qui passent des
réflexions, font des commentaires, des exclamations.
Ceux qui se mettent à sacrer en signe de mépris pour
l'art des trottoirs. Tu dévalorises ta signature, Mélusine.

À la fin de sa vie, Picasso faisait des milliers de toiles
par année. Une production accélérée. On voit l'accélé-
ration partout. On dirait sa signature partout : rien que
sa signature. Une signature pressée, un paraphe coloré,
plus ou moins texturé, plus ou moins lisible. Il n'expose
plus que sa signature : c'est assez. Il ne vend plus que ça.
Il ne sait plus faire que ça : signer, signer, signer,
remplir des ateliers et des ateliers de déchets fabuleux,
de traces lumineuses, fabuleuses : Picasso, Picasso,
Picasso.

Elle, c'est Mélusine, Mélusine, Mélusine.

Elle aussi, elle s'enferme dans une chambre aux images. Des envies la prennent de tout jeter dehors, toutes les images. Mais elle sait qu'au télescope géant, on continuera de voir à l'horizon astronomique la scène primordiale de l'éclatement instantané du monde. Monstrueux mais vrai.

Lassonde est entré. Elle lui a fait cadeau de sa leucémique : bien serrée entre des vitres de plastique. Le titre l'a fait un peu s'arrêter de respirer. C'est calme, c'est très beau. C'est tout ce qu'il trouve à dire. C'est un peu court. Elle voudrait lui réciter la tirade de Cyrano, mais elle ne la sait pas par cœur.

Tout descendre, tout placer dans sa familiale : lui qui n'a pas de famille. Faire trois voyages et avoir les mains rompues par les cordes. Installer toutes les gravures à l'ombre de la croix de la place Ville-Marie. Le soleil n'est pas encore très haut.

Septembre qu'elle aime. Un coin de montagne qui jaunit au bout de la rue. Elle a apporté sa tablette et elle s'installe pour faire des croquis de ville, des portraits rapides des passants. Pas de monstres aujourd'hui. Pas de caricatures non plus aujourd'hui. Rien que du réalisme. Presque rien que des gens normaux aujourd'hui. Le mince spectre de la lumière visible. Lassonde a tout monté lui-même. Ça l'occupe mais ça ne l'empêche pas de penser. Le dossier prend de l'importance dans sa vie, il ne sait trop pourquoi. C'est rien, ce dossier-là, d'après ce que tu m'en as dit. Un complot qui a foiré, rien que ça. Puisqu'il n'y a pas eu d'assassinat ? Qu'est-ce qu'il lui a pris, à Riverin, de monter une pareille montagne de papiers pour rien ? Il cherche à la faire accoucher d'une souris ?

Lassonde a du plaisir à venir vendre des gravures avec elle, aujourd'hui.

Combien tu demandes ? Le numéro de la gravure plus cent. Le numéro vingt-six coûte cent vingt-six et

ainsi de suite. Elles sont toutes pareilles! Non non. Je
les ai numérotées selon l'excellence de leur venue au
jour. Le sourire de Lassonde, qu'elle voit de côté.
Lassonde qui pense à ses notes: à ses performances
amoureuses. Elle baisse sa note quand il est distrait,
quand il pense à autre chose. Quand il pense à
Marguerite, elle le sait indubitablement. En dessous du
cinq, quand il se met à penser à sa femme morte de
leucémie.

Des gens s'arrêtent. Ils sont pareils ou ils ne sont pas
pareils? Pareils mais pas tout à fait. Chacun a sa personnalité. Elle s'entend dire le mot: personnalité, elle se
mord l'intérieur des joues pour ne pas rire. Pourquoi
Bouhou? C'est son nom. Quel prix? Ça dépend du
numéro. Puisqu'ils sont pareils! Des gravures, ça se
vend le même prix. Non, parce qu'ils sont d'intensité
variable. Il s'est contenté de rire et de s'en aller. Il est
repassé, quelques minutes plus tard, une boîte de
pâtisseries à la main. Il porte ça comme si c'était
précieux. Pendant sa courte absence, elle a fait une
esquisse de lui. Hey! c'est moi ça! Je la veux. Je te
l'achète. Non: prends Bouhou. Tu as le choix. Prends
celui qui a une intensité proportionnelle à la tienne.
C'est cher. Comme tu voudras. Je ne suis pas inquiète.
Si tu reviens à six heures, je n'en aurai plus. Tu verras.
Je vais manger mes croissants avec mon amie et je
reviens avec elle. Elle m'attend sur la place en haut. Si
tu faisais son portrait, j'aimerais ça. Peut-être que oui,
peut-être que non. Ça dépend d'elle et ça dépend de
moi. Il a un rire en clochettes. Elle résiste à la tentation
de lui accrocher des clochettes dans les narines comme
un anneau. Lassonde a vendu le numéro cinquante
comme ça, sans rien dire que le prix. How much this
one? One hundred and fifty. Comme ça. C'est celui-là
qu'il avait choisi. Celui-là qu'il voulait, pas les autres. Il
les a tous éliminés, tous les autres Bouhou.

Mélusine a caché le plus beau pour l'homme aux croissants. À six heures, il est arrivé avec une fille rousse plus belle que le jour. Plus belle qu'un beau jour de septembre quand il neige à peine sur les feuilles presque vertes encore. C'est pas vrai! Tu les as pas toutes vendues? Tu as vendu toutes tes gravures? Je te l'avais dit. Elle a sorti le numéro cent et l'a donné aux amants fabuleux. Pour le plaisir de penser des mots romantiques et désuets. Mais elle a gardé le portrait.

Ils sont partis ensuite : tous les deux. Lassonde n'en est pas revenu, lui. Il ne comprend pas. Qu'est-ce qu'il a ton Bouhou? Qu'est-ce qu'ils ont tes monstres? Rien. Rien que des monstres : c'est assez. C'est assez pour attirer l'amour. Il faut dire des choses qu'on ne comprend pas, Lassonde, si on veut évoluer. Le chemin de l'évolution est à ce prix. C'est ça l'évolution. Points tournants et points de non-retour. Mais il te faut, quelque part, un monstre de bon aloi qui garde la mémoire de tout. Comme le portrait de Dorian Gray.

35

QUI A PERDU L'ESSENTIEL SANS S'EN APERCEVOIR ?

« De Riverin à Lassonde, salut !

Ici en Europe, je vois ce que je ne voyais pas à Montréal. J'ai bien fait de m'éloigner du dossier tel que tu le connais, toi, à l'heure qu'il est.

Ne sois pas trop surpris, Lassonde. J'ai eu besoin de toi comme on a besoin d'un autre soi-même. Autrement dit, j'ai voulu me voir en train de sonder cet amas de documents. Je t'ai mis à ma place. Non pas que j'aie eu des doutes quant au bien-fondé de cette entreprise. Non. Cette enquête devait être faite, elle doit se continuer.

Quand je te parle d'un autre état du dossier, tu penses à l'ordinateur évidemment et tu as raison. Tout est sur vidéo-cassettes. Tout a été codé. J'ai préféré ne pas t'en parler tout de suite. Au pressé de boutons, je sais tout, je compare tout. Rien ne m'échappe.

Mais pourquoi, si rien ne m'échappe, ai-je senti le besoin de revenir au texte original par personne interposée? En le reprenant en main, en le sortant de la cachette où je l'avais enfoui, j'ai su que je n'arrivais plus à le voir, moi, avec des yeux vierges. Toujours l'écho chiffré, l'écho informatisé collait aux pièces que je manipulais.

Je me rendais compte d'une chose effroyable. La moelle du texte n'était plus pour moi dans le texte primitif, elle n'était pas non plus dans la mémoire électronique. J'avais perdu l'essentiel et je ne m'en étais pas aperçu: comme dirait le chef de police.

Le plaisir que je ressens à tracer cette écriture de copiste bénédictin ne t'échappe sûrement pas. Ça me sauve du désespoir.

Pourtant, cette défection de l'essentiel du texte aura été un incroyable coup de chance pour moi. Autrement, je n'aurais pas senti le besoin de m'en aller, de prendre cette année de recyclage.

Séparé à la fois du dossier de papier et du dossier électronique, je me remets à expérimenter sur le terrain. Que je sache par cœur les deux dossiers n'empêche rien. Je touche terre de nouveau.

Si je t'écris, ce n'est pas seulement pour le plaisir de la calligraphie, c'est pour te faire part d'une intuition terrible que j'ai eue lundi, en plein milieu d'un cours d'électronique: cette sorte d'intelligence est dangereuse. On ne se méfie pas assez des ordinateurs. On en est restés aux craintes de George Orwell et d'Aldous Huxley.

Mes expériences personnelles m'ont permis d'éprouver une peur autrement grave. Cette intelligence, celle des cerveaux électroniques, évide tout ce qu'elle touche. J'emploie le mot touche à dessein. C'est un attouchement: un miracle à rebours. On cherche actuellement la cause des désastres en chaîne. C'est le vide créé lors du codage des textes. Les textes disparaissent : je le sais, je l'ai expérimenté. C'est de là que viennent les grandes perturbations en chaîne : de cet inconscient électronique.

Ne te dis surtout pas que je suis dupe de tout ce qu'on continue de dire de l'inconscient. C'est insensé de continuer d'en faire une boîte à images pleine de relations père-fils, fils-mère, fille-père. On s'est leurré très longtemps. Il s'agit d'une boîte vide, il s'agit d'une machination pure.

Continue de lire, Lassonde, continue. Depuis que je suis en Europe, un trou noir de cette sorte m'attire. Non pas que j'aie le désir d'y tomber. Sûrement pas. Mais je me sens tiré par lui avec une force d'attraction que je reconnais. Quand j'ai codé le dossier que tu as en main, j'avais cru à une crise de foie, tant les vertiges et les points noirs se multipliaient à ma vue. C'était la première manifestation de l'inconscient électronique. J'ai bien failli écrire : inconscient international. Que cet inconscient soit un trou noir, un œil d'ouragan ou une dépression totale, je ne crois pas que ça change quoi que ce soit de le nommer d'une façon ou de l'autre.

Comment éviter l'attrait du trou noir en question ? Je n'en sais rien. Le chef Livernois, avec son âme primitive, te dirait qu'il faut arrêter de penser carré : carrément arrêter de penser.

On ne peut pas revenir en arrière ? Pas vraiment. Je me le demande ! Le processus, sans être totalement irréversible, n'est pas complètement réversible. Quand le texte est perdu il est perdu ? Faudra-t-il en venir à l'avouer ? Moi, je pense que non. Quelque chose peut être fait. Le texte n'est pas récupérable tel qu'il était, mais on peut le faire revenir. Je sens qu'il sera chargé de vestiges et de noirceur. Je le sais d'une terrible certitude.

Les doutes qui me sont venus d'abord n'étaient pas dignes de moi. Je me disais, les yeux ouverts à pleine

grandeur sur la noirceur de la nuit : disons qu'on brûle
un dossier et qu'on en jette les cendres dans l'égout,
est-ce qu'on pourrait le récupérer ? Disons qu'avant de
le brûler, on l'a codifié. Disons qu'on l'a mis sur ordinateur en se servant d'un code reconnu. Est-ce qu'on
pourrait reconstituer le dossier en partant du texte
codé, entré dans l'ordinateur en bits d'information ?
Cette nuit-là, j'avais répondu : non à la nuit environ-
nante.

En lisant le dossier de papier après le codage, ai-je pu
voir un drôle de halo, entendre une sorte d'écho venu
du texte chiffré ? Oui. Pourquoi ne m'était-il plus
possible ensuite, en lisant sur l'écran tous ces bits
d'information, de voir le halo du texte original ? Cette
nuit-là, j'étais sans espoir. C'était irréversible. La science
nous l'a dit : le futur a une direction. On ne retourne
pas en arrière. J'en aurais pleuré. À ce moment-là je ne
savais pas vraiment pourquoi cette idée-là m'était si
douloureuse. Elle n'était pas nouvelle. Je l'avais su
depuis très longtemps. Un besoin de revenir m'avait
pris au corps : un besoin indubitable.

Je n'avais pas brûlé le texte original, moi. Je l'avais
caché. À Montréal, j'ai pu faire des allers et retours très
nombreux. En se replaçant dans le texte écrit, on peut
voir le texte codé comme en superposition, mais l'inverse
n'est pas possible. Il faut faire appel à une nouvelle
invention à partir des bits d'information. Il le faudra,
Lassonde. Je n'accepterai jamais qu'on se soit aventurés
dans un avenir d'où on ne revient pas. Le texte n'est
jamais irrécupérable : je veux le croire. Il faut qu'il soit
récupérable d'une façon fabuleuse. Ces phrases sont en
relation avec l'inconscient mondial. Plus que des phrases
ordinaires. Déjà la noirceur du trou noir universel les a
touchées. Mais déjà aussi les touche la réinvention
qu'on est en train d'en faire. Le passé n'est pas fini.
Quand j'ai eu le courage de me dire ça, je me suis senti
mieux.

Je me suis mis à voir ma vie, toutes les vies, le monde entier comme un hologramme. Le passé est toujours là en train d'être bombardé de photons de toutes les couleurs. De partout on peut tout retoucher. Le passé peut être vu dans chacune de mes phrases, l'avenir aussi.

Ce dossier exaspérant commence déjà à prendre la forme de mes rêves pour le futur. Ce n'est plus seulement du feedback où l'avenir profite des leçons du passé. L'avenir pare le passé, le modèle. Le chef Livernois citerait un proverbe québécois ici. Il dirait : Tout est bien qui finit bien. Lancer sur un passé triste et misérable la lumière cohérente et forte d'une fin glorieuse, c'est donner à ce passé une lumière, une couleur qu'il ne paraissait pas avoir aux yeux sans envergure.

Le matin, je me lève en me disant que je vais mettre une couche de merveilleux photons colorés sur tel souvenir de ma vie qui crie miséricorde. Ne m'en veux pas d'être un peu romantique, Lassonde. Ici, en Europe, je me sens libre de dire ce que je veux. Je me sens libre de penser en tous sens. La direction du futur ne doit pas être irréversible.

On t'a sûrement raconté des choses plus ou moins drôles sur moi et mon dossier. Il y a des gens qui sont portés à rire, incapables de garder leur sérieux. Ils s'échappent. Marten est un incontinent dans son genre. Je suis un avocat des plus consciencieux, des plus conséquents avec eux-mêmes et avec les autres. Je me défends de leurs attaques.

On t'aura dit, peut-être, que j'avais donné beaucoup trop d'importance à la machination d'un faux complot en vue d'assassiner Oliphant et de Gaulle. Qui saura jamais l'importance qu'il faut donner à une invention, à quelque chose qui n'existe pas, au vide ? Pour le savoir, il faut être capable de considérer un trou noir sans mourir complètement. Quand on revient d'une telle considération, il y a des choses qu'on sait, qu'on n'oubliera jamais.»

36

UNE VOLONTÉ DE NON-RÉSISTANCE
CHEZ CLAVEL

Clavel a été invité à une réception que donnent le chef de police et sa femme Clarice. « N'oubliez pas de venir, Monsieur Clavel. Ma femme a lu tous vos reportages. J'en ai moi-même lu plusieurs. Ma femme est très avide de vous connaître. » Clavel a mis la carte d'invitation du chef dans sa poche, mais l'avidité de Clarice ne lui dit rien. Il attend des nouvelles de quelqu'un d'autre.

Pendant des jours, il s'est promené en vain autour du lieu où les Haïtiens ont été assassinés. Rien. L'enquête de la police ne donne rien non plus.

Clavel a une sensation aiguë d'escamotage. Comme si, normalement, il aurait dû être mort. Mort avec les autres morts. Ça le laisse curieusement ému. Comme incrédule. De se voir dans un miroir, de se dire que c'est pourtant lui, que c'est pourtant son visage, lui met de l'air sous les bras. Prêt à voler : chatouillé. Tout ce qu'il vit est du temps de trop : une surabondance. Il pourrait être mort. Il devrait être mort. Normalement. Le mot normal, le mot normalement, le mot normalisé lui fait des entraves légères: sortes de fils d'araignées du matin, collants, dérisoires.

Rien que de respirer, rien que de chanter sous la douche, rien que de sentir l'odeur de ses poignets, de ses paumes, lui donne des voluptés inouies.

Montréal en plein automne. Au bout des rues montantes, le mont Royal est devenu roux. Au soleil, Clavel aurait eu des ravissements s'il n'avait pas eu cette curiosité terrible pour ce qui allait venir. En ce temps creux de sa vie.

Hélène et ses trois filles sont retournées à Rimouski et se passent allègrement de lui: il le sait depuis toujours. Elles l'aiment mieux de loin. Peut-être parce que de près il est aussi malheureux et encombrant qu'un capitaine au long cours échoué sur une plage.

Il jouit de tout. Quelque chose va se produire: il le sait depuis longtemps. Il se voit quelque part dans l'avenir, le cœur encore chaud de ce qu'aujourd'hui il attend. Les yeux ouverts, éveillé comme il ne l'a jamais été. Une rage égale, alignée à l'horizontale donne à tout ce qu'il fait, à tout ce qu'il pense, une dimension étonnante. En pleine possession de ce qui va venir.

Il regrette beaucoup de choses dans sa vie: il a souvent de cuisants remords. Aujourd'hui, il se met à savoir qu'un regret est aussi éclairant qu'un désir, aussi coloré et colorant qu'une volupté. Une couche de regret posée régulièrement sur un souvenir noir le rend brillant, l'irise, l'auréole. Aujourd'hui, un événement aurait lieu: un arrachement de la terre, rien qu'à le penser. Un besoin de rejoindre un iris, une couleur fabuleuse.

Il marche lentement au cœur de la ville: ce for intérieur qu'est devenu pour lui le centre de Montréal.

En ce dimanche matin, il n'aurait pas pu se sentir plus flagrant : en pleine rue Sainte-Catherine. Une rue désertée. Un vent doux lui met de l'air dans les cheveux, de l'espace dans la chevelure. L'Œil veut le voir. Il se met en la présence de l'Œil pour ne pas manquer sa chance. Il a bien failli monter sur la montagne quand un rayon de soleil plus révélateur que les autres a frappé un arbre orangé : tout en haut.

Après avoir tant marché, tant tourné en rond tous ces jours, Clavel s'est dit qu'il lui faudrait peut-être faire tout le chemin lui-même. L'Œil attend. Son mouvement est fait : son clin d'Œil. À ton tour, Clavel ! C'est à toi de jouer, Clavel !

Il ne comprend pas celui que dans son orgueil et sa rage il appelle son interlocuteur, son lecteur. Ses reportages s'adressaient peut-être tous à lui. À lui surtout : entre tous.

Il y avait eu tous ses reportages publiés depuis le début. Tous ses articles signés de pseudonymes aussi. Et toutes ses écritures non publiées : celles qu'il gardait pour lui. Celles où il disait sans pudeur, sans politesse, tout ce qu'il pensait de lui-même et du monde. Dans certaines pages secrètes, violentes, ce n'était pas à lui-même qu'il s'adressait, pas seulement à lui-même. Il ressentait, à les écrire, la même violence qu'il ressent aujourd'hui, la même volupté aussi. Ces écritures à peine lisibles : horizontales, couchées sur le papier, brûlantes.

Il marche en pensant. Il n'écrit pas aujourd'hui. Pas de papier, pas d'encre, rien. Mais chaque pas posé, pesé, lui semble marqué sur les trottoirs presque déserts. Une jouissance indéniable. L'attention poussée au paroxysme. Certains soirs de grande noirceur, il a rêvé d'être tout-puissant. Il a surtout rêvé de tout savoir. Comme si c'était possible et désirable. Encore aujourd'hui, l'ignorance où il est tenu l'exaspère.

Un jour, en pleine guerre du Vietnam, des stigmates terrifiants lui étaient apparus sur la main gauche, celle qui écrit : la paume marquée d'un rouge-violet indélébile. Un éclat d'obus l'avait sauvé d'une connaissance qui l'aurait tué. Il l'avait sentie venir. Comme aujourd'hui. Clavel s'est regardé la main : rien.

L'Œil est là, quelque part. Clavel le sent. Puissant d'une puissance incomparable. En le disant, Clavel pense aux missiles intercontinentaux. Il avait vu les plus terrifiants : les russes et les américains. La planète grosse de ces machines qui perdent leurs noms de machines : devenues autre chose que matérielles. Les fusées enterrées dans des déserts. Mises à attendre dans des ventres chauds. Chacune d'elles capable de détruire une cité entière.

On avait souvent dit de Clavel qu'il se prenait pour un autre. Ses reportages publiés prenaient parfois des teintes non publiables. À la première lecture, les rédacteurs en chef ne s'en rendaient pas compte. Les directeurs de journaux non plus. C'est plus tard. Après quelques heures, quelques jours, quelques semaines : ses reportages prenaient ces tons inacceptables de calciné, des tons de rouge brique qui restaient dans les yeux comme un souvenir vivace, pas vraiment indélébile mais presque. Certaines phrases de Clavel restaient dans la mémoire comme des plantes coupées mais étrangement portées à se greffer là où elles tombaient. Portées à pousser, même plantées la tête en bas. Elles prenaient. Se mettaient à colorer tout ce que les lecteurs et les lectrices vivaient et lisaient par la suite.

Clavel en est à se dire qu'il n'a pas de tendresse pour l'Œil. Pas de tendresse, non, mais ça ne l'empêche pas d'être ému en pensant son nom. Il avait tenté à maintes reprises de se débarrasser de cette émotion romantique, de cette terrible reconnaissance.

Seul dans des villes étrangères, il lui était même arrivé de lui parler à voix basse en regardant de la neige jaunir sous des lampadaires de fortune ou des montagnes disparaître sous des poussières volcaniques. Tant de terreurs ne pouvaient pas avoir été planifiées, voulues. Par qui que ce soit. Pourtant, des bruits couraient sur lui depuis trop d'années pour qu'il n'y ait pas là quelque chose de vrai. Ou bien l'Œil tenait lieu d'une puissance imaginaire, imaginée. Sorte de bouc émissaire universel. Sorte de monstre inventé à partir de frayeurs, de peurs. Punching bag mondial.

Clavel lance ses pensées, une rage tranquille, horizontale, dans tout le corps : sur le haut de la montagne. Comme si l'Œil pouvait en prendre connaissance de quelque façon.

À quelques reprises dans sa vie, il l'avait vraiment frôlé. Ou bien c'était son imagination. Ou bien c'était son attente enragée qui avait tout fait. Son attente pressante. Comprendre !

Des rendez-vous lui avaient été donnés par des voies détournées. Comme le message des Haïtiens. Des rendez-vous jamais tenus. Clavel s'était rendu, lui : l'autre, jamais. Toujours l'Œil lui avait fait faux bond. Clavel était sorti de ces rendez-vous manqués comme épuisé : d'être tombé dans le piège avec tant d'ardeur. En plein connaissance. Ces rendez-vous avaient toujours été marqués par une recrudescence d'intelligence, d'attention aiguisée.

C'est la première fois que l'attente dure si longtemps. Comme si l'invitation tenait encore. Le rendez-vous tient toujours : le temps déplacé. Clavel garde l'émotion avec la rage. Alignées l'une avec l'autre.

Une drôle d'idée vient de le frapper. C'est le mot invitation qui l'a fait sourire : l'invitation du chef Livernois. Si l'Œil allait l'attendre là ! Une invitation, c'est une invitation. On répond à l'une, mais c'est à l'autre qu'on pense. L'Œil international à la réception de Nil Livernois. De Nil et de Clarice Livernois.

De retour à sa chambre de touriste, il a pris le temps de s'habiller: comme s'il allait enfin être mis en la présence du monstre enterré dans le ventre chaud de la planète. L'Œil, puisqu'il faut l'appeler par son nom. Le mal vient peut-être d'une incompréhension qu'on a, rivée à la cervelle. Quelque part, pour quelqu'un, le mal ne se différencierait pas du bien. Comme l'écrivait Riverin : une fin glorieuse plongera peut-être tout le noir du monde dans une lumière blanche.

Clavel est en avance à la maison des Livernois. Il a décidé de jouer un peu à l'espion. Posté dans un creux de la haie de cèdre, il voit arriver les invités les uns après les autres. La maison de Laval-des-Rapides a cinq niveaux illuminés. D'où il est, il entend les conversations de ceux qui arrivent. Deux femmes viennent de sortir d'une Volkswagen orangée : une grande et une petite. La petite a l'air d'une naine et Clavel a frissonné de plaisir. Un chat noir en laisse, sorte de prophète de malheur, a pris les devants de l'équipage. Le frisson de plaisir s'est mué en brûlure de promiscuité. Les deux femmes sont tout près de lui. Le chat a miaulé doulou-reusement, la naine a ricané tout bas et l'autre a juré d'une voix gutturale.

Le vent est de plus en plus froid, le ciel de plus en plus noir. Une demi-lune monte au-dessus de la maison des Livernois : si pâle que Clavel n'y voit qu'une lune noire mal blanchie sur le côté droit. L'idée lui est venue de s'installer tout de suite dans la Volkswagen. Pour accélérer les choses. Abonder dans le sens du destin. Quand l'Œil s'était manifesté, quand Clavel avait cru à une manifestation de l'Œil, toujours cette idée d'abonder dans le sens du destin avait fait son apparition. Cette idée comète, reliée de très près à l'événement. Chaque fois, il s'était rendu compte que le raccourci ne valait rien. Il n'allait pas céder à son impatience. La femme au chat n'était peut-être qu'une fausse route, une fausse prophétesse comme il en apparaît toujours aux moments cruciaux. Placée là pour le tromper. Mais pourquoi ? Si l'Œil voulait le voir, pourquoi lui envoyer de fausses prophétesses, pourquoi l'induire en erreur ? Il n'inventait pourtant pas tout ça.

À la porte, on lui a demandé sa carte d'invitation. Le service de sécurité est là, apparent. Il fait semblant de l'avoir oubliée. Un faux nom lui est venu à la mémoire : Albert d'Angoulême. Comme ça : un nom de mort. Quelques regards sur lui.

La femme au chat s'est plantée en face de Clavel :

« Simon Clavel ! Qui ne connaît pas Simon Clavel ? »

Elle a la main grosse et une poigne surprenante. Son chat miaule sans arrêt. Déjà, dans les salons, le ton monte. C'est assez effrayant un cocktail. La femme au chat est en train de dire qu'ils ont l'air d'une bande de sauvages. Avec sa voix basse, gutturale.

Le maître de cérémonie est venu parler à Clavel lui aussi. Une componction dans toute l'allure. Clavel ne le reconnaît pas mais reconnaît la componction. Depuis le temps qu'il couvre les événements internationaux, il a développé une mémoire de tous les sens. Ce maître de cérémonie n'est pas un maître de cérémonie ordinaire. Un frisson dans la main gauche, une menace de stigmate : quelque chose se trame.

Une volonté de non-résistance et pourtant il est aux aguets : prêt à réagir. L'action est une chose, la réaction une autre. Ce qui avait toujours fait sa force, durant toutes ces années de reportages dangereux, c'était la qualité et la vitesse de ses réactions aux événements, aux actions autour de lui. Quand il voyait une carte

géographique ou une carte géologique ou une autre
sorte de carte, il se mettait à compenser. Il réagissait
avec une envergure, une imagination qui tenait lieu de
mille renseignements précis. Certains jours, un mot lui
donnait mille idées. C'était l'opinion de ses lecteurs
aussi bien que de ses lectrices. Clavel avait senti le
besoin de se valoriser à ses propres yeux, car cette
soirée lui serrait le cœur.

37

UNE INTERVENTION ARTIFICIELLE
FORCE LE NATUREL

Le chef de police en était à se dire qu'il était le gardien des secrets de la mairie. De temps en temps, cette pensée l'écrasait mieux qu'une encombrante maîtresse. C'était la seule maîtresse qu'il pouvait se permettre.

Depuis 1966, il avait trouvé ce qu'il appelait tout bas sa vocation. Depuis qu'il avait conçu cette merveille qu'avait été l'invention du faux complot. Le cosmos tout entier, à partir de ce moment-là, avait pris sens et direction. Il n'enviait plus personne. S'il soupçonnait encore beaucoup de monde, c'était pour des motifs inconnus de tous. Des gestes infimes prenaient parfois pour lui une signification sinistre. Certains jours par contre, les preuves les plus accablantes tombaient dans une sourde oreille. Ses critères avaient changé. Les détails étaient, selon lui, beaucoup plus importants que le reste. Quand il se sentait en pleine possession de lui-même, il se disait sismographe. Il savait qu'on en faisait des gorges chaudes autour de lui. Il ne relevait pas ces moqueries, il ne les punissait jamais. Ménager son énergie, sa précieuse énergie pour l'essentiel : ça prenait tout son temps. Pas de niaiseries dans sa vie. Rien que des choses primaires : il appuyait sur le mot et sa secrétaire particulière se sentait mal.

Cette pensée le faisait jouir hors de toutes proportions : il était le gardien des secrets de la mairie. En 1967, un événement se plaçait dont personne n'avait jamais mesuré la largeur, la longueur et la profondeur. Un événement secret mais un événement. L'espace d'un moment, et là le chef fermait un peu les yeux, le pôle s'était déplacé pour venir se poser sur l'île de Montréal.

Il s'entourait d'une grande distraction quand venait à sa conscience le besoin de faire une réception. La vue de Clavel venait encore de lui donner des oscillations de pointe, spécifiques chez lui d'une extrême promiscuité avec sa pensée centrale. Ces oscillations, il les avait rarement, très rarement. Pour Livernois, l'Œil n'existait pas vraiment : rien qu'un nom commode pour placer ses peurs. Il y croyait un peu, sans vraiment y croire. Mais ceux qui, de près ou de très près, étaient reliés à l'Œil lui donnaient des oscillations de pointe. Le chef ne s'expliquait pas ça. Il se disait qu'il était devenu un sismographe plus puissant qu'il ne l'aurait cru d'abord. Devant certaines oscillations, il ne savait vraiment pas quoi penser. Dépassé par ce qu'il était devenu. Il sentait bouger la pointe de sa pyramide et attendait de comprendre ce qui se passait. Sa femme disait de lui qu'il était un intuitif. Elle avait un vocabulaire démodé.

Le chef accueillait ses invités, entouré de son halo de distractions primaires. Sa secrétaire lui rappelait en douce qu'il ne devait pas être trop absorbé, que ça lui donnait l'air absent. Depuis combien d'années avait-il cet air absorbé ? Douze ans seulement ? Treize ans peut-être.

Certains matins d'allégresse, il se sentait le lieu choisi de toute l'histoire du monde. Pour lui, les mots races, nations, ne pesaient pas lourd : complètement déconsidérés. On aurait pu lui faire remarquer que Montréal avait pris une importance déraisonnable : il n'aurait pas cillé. C'est que Montréal, depuis 1967, tenait lieu d'autre chose. Et le Québec ? À cause de Montréal, le Québec aussi tenait lieu d'autre chose.

Surtout ne pas peser toutes ces vaines conversations de cocktail. Se contenter de glisser d'un groupe à l'autre. Laisser l'esprit mondial l'investir de plus en plus : le seul esprit valable. On aurait pu tirer d'étranges conclusions si on l'avait suivi à tous les niveaux de sa maison. Sa conversation, faite de phrases lancées sans considération pour le sujet en cours, donnait à ses apparitions, ici et là, une allure de visitations. Que des invités légèrement gris se soient sentis visés dans ce qu'ils avaient de plus secret n'étonnait plus Clarice, qui avait fini par conclure à la métamorphose totale de son mari depuis 1966.

C'est là qu'ils avaient commencé à faire chambre à part. Nil s'était mis à travailler à toutes sortes d'heures. En pleine nuit, il se levait et élaborait des organigrammes. Il y mettait tant d'âme que Clarice avait pris peur. Plus jamais une caresse. À peine un regard et encore : ce regard était presque toujours tourné vers l'intérieur. À plusieurs reprises, il s'était laissé aller à l'appeler « femme ». Et le ton qu'il s'était mis à prendre avec elle avait tenu plus du patriarche que d'un compagnon de vie. Tu devrais savoir, femme.

Clarice avait parlé de divorce mais sans conviction. Elle avait un studio dans la cave où elle cuisait de très belles poteries, très anciennes ou très modernes, on n'aurait su dire : sans âge. Sa nouvelle chambre donnait sur son studio. Elle ressentait là un ennui qu'elle ne différenciait plus de la paix. Deux fois par année, elle devait faire une réception diplomatique : c'est tout ce que Nil lui demandait. C'est lui qui décidait de la date, quand sa conscience lui commandait de faire un cocktail. Il payait toutes les dépenses de la maison : c'est lui qui voulait ça. Au hasard des jours et des nuits, ils se rencontraient ou ne se rencontraient pas, mais se laissaient toujours des notes près du téléphone. On aurait pu écrire un roman dans le genre de ceux de Becket en lisant ces notes d'affilée, toutes inscrites les unes à la suite des autres dans des cahiers à spirale. Leurs écritures, tout en étant très différentes, en étaient venues, après douze ans, non pas à se ressembler, mais à influer l'une sur l'autre. C'était une entente qu'ils avaient faite en renonçant au divorce d'un commun accord : un vrai message chaque fois qu'on sort de la maison.

Sorte de paresse ou bien manie, les notes de Nil étaient souvent des proverbes ou des lieux communs. Mais Nil avait une idée trop haute de sa pensée pour inscrire tels quels ces bouts de phrases cristallisés au cours des millénaires. Toujours ces pensées avaient été repensées. S'il écrivait : « On ne fait pas d'omelettes sans casser d'œufs », il ajoutait : « comme dit le proverbe québécois ». Il n'était pas loin de penser que c'est lui qui en 1966 avait mis cette nouvelle sagesse universelle sur la carte.

Il n'hésitait pas près du téléphone. Toujours des phrases lui venaient en prenant la plume. Toujours à point nommé. Il souriait en écrivant. À croire qu'il avait, intégré, un alambic à distiller la sagesse. Les faits sont les faits, comme on dit ici. Clarice s'était demandé si Nil prenait la peine de lire son message à elle. Pourquoi ne pas laisser une ostensible faute d'orthographe, pour voir ? Le lendemain, il avait tout simplement corrigé la faute. Ce jour-là, Clarice avait fait des poteries de l'autre monde. Elle ne s'expliquait pas cette virtuosité qu'elle avait eue.

Pour la réception, elle avait rangé le cahier à spirale dans le tiroir, avec l'annuaire. Elle avait regardé arriver tous ces gens qu'elle connaissait à peine, comme on voit arriver une tempête de neige que le météorologue a bel et bien prédite. À force de travailler seule, sa conversation s'était en quelque sorte tarie, mais aussi sa faculté d'écouter ce que les autres disaient. Elle riait beaucoup et regardait les gens dans les yeux comme si elle cherchait à en voir le coloris, les reflets de base, le degré de matité. Cette attention lui avait valu une réputation de femme d'esprit qui ne la faisait pas rire, qui l'aurait même émue si elle s'était laissée aller à y réfléchir.

Les réceptions de Laval-des-Rapides étaient toujours réussies. Nil et Clarice planifiaient le tout sur les feuilles quadrillées et ce tout prenait forme à coup d'argent et de personnel spécialement loué pour ça. Personne pourtant n'aurait prononcé le mot : impersonnel. C'était trop copieux. Une chanteuse, une guitariste, un danseur, une cartomancienne ou un lecteur de pensée : toujours une attraction pour alimenter les conversations.

Le ton avait monté imperceptiblement jusqu'à un niveau assez éprouvant. Ceux qui n'avaient rien bu se sentaient rouler sur des billes autant que les autres.

Quelqu'un avait annoncé une séance de lecture de pensée et les gens s'étaient massés dans le grand salon et dans les quelques marches qui donnaient dans la salle à manger.

Le lecteur de pensée était masqué et vêtu d'une robe de velours pourpre à manches très longues. En marchant, il s'était pris les pieds dans l'ourlet et avait bien failli perdre le masque. Clarice s'était précipitée pour relever la robe et sauver la situation. Clavel, par hasard, s'était trouvé aux premières places. Personne ne semblait

avoir su où la séance se déroulerait. Clavel avait frissonné. C'était un signe : quelqu'un le regardait. Quelqu'un en relation avec l'Œil. Le poil de ses bras s'était
dressé. Ce n'était pas de la peur. Toute sa rage lui
revenait. Il se sentait ostensible, ainsi placé aux premiers
rangs. Et lui ne voyait pas l'autre : quel qu'il soit.

L'artiste portait un masque de cyclope. Il avait été
présenté comme un artiste. Clavel s'était demandé comment il pourrait faire croire à qui que ce soit qu'il lisait
dans la pensée.

Un grand blond, en mal de se faire remarquer, avait
lancé que s'il ne faisait que lire dans la pensée des
autres, c'étaient les autres qui étaient des artistes
créateurs, pas lui. L'autre avait répondu qu'il faisait une
lecture très très spéciale, une lecture pleine de création.
Des rires de soulagement avaient roulé, surtout dans
les marches. Le lecteur de pensée avait la voix boueuse.
C'est le mot qui était venu à la pensée de Clavel.

Personne n'écoutait vraiment. Tout le monde continuait de boire et de manger. Seul le ton baissait. C'était
une sorte de délivrance de ne plus avoir à souffrir tout
ce bruit de fond.

Il était tard. Les cocktails de Laval-des-Rapides
n'avaient pas de fin. Les invités ne se décidaient plus à
partir. Ils continuaient de tourner dans l'espace étagé
comme des planètes captées par une importante gravité.

« Je lirai la pensée de l'un d'entre vous mais je ne dirai
pas le nom du penseur ou de la penseuse en question. »

Au mot « penseuse », des rires dans l'escalier encore,
mais courts. Nerveux. La voix de l'artiste avait été
moins boueuse, plus jaillissante. Tout le monde était
curieusement ému. Ils n'ont pas à s'inquiéter puisque
l'anonymat sera gardé. Ils craignent de rougir ou de
s'allumer de quelque façon, quand leur pensée sera lue à

haute voix. Ils ont peur de voir leur pensée montée en épingle : comme si elle pouvait leur paraître monstrueuse.

Encore un rire strident du côté de l'escalier.

Immobile près du piano, le cyclope s'était comme raidi. Encore un petit rire ironique, mais l'attention était gagnée. Une petite phrase venue de la droite : j'ai peur qu'il grossisse ma pensée.

Le cyclope attendait le grand silence : visiblement.

Le silence total semblait fatiguer plusieurs invités qui se mettaient à bouger de partout en compensation.

La voix qui sortit du masque n'avait plus rien d'humain. Un torrent giclant, chuintant. Des mots à peine compréhensibles. C'était ce qu'il fallait pour attirer vraiment la curiosité. Les mots lancés, détachés. Là, le cyclope avait tellement baissé le ton que tout le monde avait tendu l'oreille. Il était en train de lire une pensée et Clavel sentait que les invités faisaient tous du brouillage tant qu'ils pouvaient. Sauf lui : Clavel. Clavel avait l'esprit ouvert. Il savait que ce que dirait le cyclope le concernerait lui, et personne d'autre. Un message de l'Œil : le plus clair jamais reçu. Il aurait voulu un message si évident que le doute aurait été impossible.

« L'absence de haine ne m'empêchera pas de le tuer. Au contraire, c'est parce que je n'arrive pas à le haïr que j'ai décidé de le tuer. »

Le lecteur de pensée s'était tu.

Des rires pointaient ici et là. Dans l'escalier l'équilibre se perdait. On s'attendait à des phrases de chansonnier. Le cyclope n'était pas drôle. Personne n'était rassuré. Le cyclope, tendu, les membres raidis, ramassés, continuait :

« Tout le monde rit. Tant mieux. J'aurai mes coudées franches pour le tuer. On n'y verra que du feu. Mon noyau intime sera dissimulé. Personne ne sait qui je suis. Même le cyclope ne le sait pas. S'il le sait, il ne le dira pas.»

La voix du lecteur de pensée s'était faite caricaturale : le vilain qui charrie, qui force sa voix. Les rires déboulaient, les invités aussi. Dans l'escalier, plus rien n'était sûr. Un succès finalement, ce divertissement. Un succès de gros rire si ça continuait. Le silence se refaisait : histoire d'entendre le chansonnier continuer ses inepties.

«Qu'ai-je à faire de cet amas globulaire de mots ? C'est d'autre chose que j'ai besoin. J'ai soif.»

Là, il avait dépassé la mesure. Quelqu'un, ici dans ce salon, aurait des pensées comme ça ! Les rires montaient très haut et autre chose, qu'on aurait pu qualifier de danse de Saint-Guy. Trop drôle, trop archaïque. Mais les invités se prenaient à chercher le regard des autres comme pour vérifier une impossibilité.

«Aggraver le mal est une technique intelligente.»

«Qui pense ça ? Dis-le. On n'est pas des sauvages. Ni des tueurs. Ni des Méphistos. Nomme-le ou va-t'en.»

Des envies de démasquer le cyclope étaient venues aux plus violents. Le chef de police avait levé les mains.

«C'est un spectacle de lecture de pensée. C'est un spectacle. Rien qu'un spectacle. Le lecteur ici présent est un artiste. Rien qu'un artiste.»

«Moi, je veux savoir qui pense ça. Qu'il le dise. C'est de l'abus de confiance, pas un spectacle. De la supercherie. C'est sa pensée à lui qu'il lit. Rien que ça.»

Le cyclope avait émis une sorte de mugissement qui tenait de la vache malade ou du veau en détresse. Les rires versaient dans le pathétique. Pourquoi ne pas laisser l'artiste se ridiculiser jusqu'au bout ?

«La disgrâce où je suis tombé n'est pas imaginaire.»

Le bruit de chute entendu à ce moment-là n'était pas imaginaire non plus. Un corps était tombé de la mezzanine sur une table étroite pleine de bouteilles et de verres.

Le chansonnier resté tout seul à se considérer en avait profité pour se faufiler dans la petite pièce derrière le piano. Clavel avait été assez vif pour le suivre et entrer lui aussi.

« Je vous attendais, Monsieur Clavel. »

Au même moment, un vertige pire qu'un maëlstrom dans tout le corps. On lui avait fait une piqûre sauvage au poignet droit. Il avait eu le temps de voir la grosse main de la femme au chat sous la manche de velours pourpre.

38

LE PLAISIR PLUS FORT QUE
LE FROID ET LA NOIRCEUR

En s'éveillant, il avait les dents entrées dans la lèvre. On avait dû lui mettre et lui enlever un bâillon. Aucun souvenir à partir de la piqûre, à partir de la grosse main.

S'il frissonnait, ce n'était pas à cause d'une prémonition. On l'avait couché sur un matelas glacé, en pleine noirceur. Aucun bruit : rien. Une étrange absence de bruit.

Clavel s'était tâté. Aucune blessure. Rien qu'un point névralgique au poignet et cette rangée douloureuse à la lèvre inférieure.

Pas un rendez-vous d'amour! Si l'Œil l'avait fait lancer là, ça ressemblait plutôt à un rendez-vous de haine. Une rage les avait rapprochés. C'est ce qu'il se disait en se passant la langue sur les dents creusées dans la lèvre.

L'Œil malfaisant, capable de tout. Des pires complots. L'Œil mondial, international, multinational. Lis ma pensée si tu le peux, cyclope! D'autant plus dangereux que personne ne sait rien de lui : rien de précis. Rien de sûr.

C'est de plaisir qu'il frissonne en pensant qu'il verrait enfin les couleurs de l'Œil. L'inquiétude aussi absente que le bruit. Le plaisir plus fort que le froid et la noirceur.

Enfin entrer en contact avec lui. Il se sentait soulevé littéralement. Enfin savoir quelque chose de lui.

39

LE CAUCHEMAR D'OLIPHANT :
PAR LUI-MÊME – FÉVRIER 1967

« Un cauchemar ne suit pas la catastrophe, il la précède. Jusqu'ici, je n'avais eu que des cauchemars flous : beaucoup de monde, une angoisse, une agoraphobie même. Moi qui aime tant Montréal et mes Montréalais, je me mettais à craindre leurs ovations. Mais ça restait fumeux en quelque sorte. Imprécis. C'est le même cauchemar qui revenait tout le temps : des variantes d'une même scène brumeuse.

Cette nuit, j'ai fait un cauchemar d'une précision qui tient du songe : du songe prophétique. Reste à l'interpréter et à faire ce qu'il faut faire. Le pharaon était allé chercher Joseph. Moi, Oliphant, j'ai Livernois : je n'ai que Livernois. Il fait son possible mais on dirait que ma confiance n'est pas totale.

Quand je lui ai raconté mon cauchemar, il m'a dit de cesser de rêver carré : carrément cesser de rêver. Il m'a accusé d'amorcer la catastrophe en faisant des cauchemars prophétiques. Par moments, je me dis qu'il n'est pas à ma hauteur. Il se vante d'avoir, par son invention monstre, contré définitivement la catastrophe. Et moi, je serais là à surcontrer, à redonner à la catastrophe une ouverture, une possibilité.

Cesser de rêver carré, cesser de manger avant de me coucher, faire de l'autosuggestion en me couchant : c'est ce qu'il me conseille. C'est à peine s'il a écouté mon cauchemar. Il n'avait qu'une idée : l'effacer de son esprit et du mien, comme si c'était une façon d'agir. Ça me prendrait un vrai Joseph, un interprète de songes.

Je suis en train de mettre sa merveilleuse machination en danger ! Il me dit ça ! Il est plein de lui-même.

Il faut pourtant que je trouve la clé de ce cauchemar. J'ai pensé à l'écrire pour mieux le voir.

Livernois s'est exclamé : la clé, absente de tous les songes !

Il a une façon de dire : ahurissante.

Première chose à écrire : mon cauchemar était en partie en couleurs, en partie en noir et blanc. Quand j'ai dit ça à Livernois, il m'a parlé d'écran de télévision un soir de vent. Je lui ai répondu qu'il ventait seulement aux moments cruciaux. Aux moments cruciaux de mon cauchemar, je perdais la couleur. Il m'est même arrivé de perdre l'image à un moment donné : seul le son m'est resté, une explosion de son. C'est là que je me suis réveillé. J'ai fait un saut terrible dans le lit : au moment de l'explosion.

Je prends mon cauchemar image par image : on est dans une longue voiture ouverte, de Gaulle et moi. Il est très grand et très gros dans mon rêve et le ventre lui pend sur les genoux. Moi, je passe mon temps à me dire intérieurement : il réchauffe une bombe dans son sein. Mais là, je me rends compte que mon ventre pend presque autant que le sien. Je me rassure en me disant que dans mon cas, c'est d'une bombe préventive qu'il s'agit.

Livernois, obsédé qu'il est par son invention d'une fausse bombe, m'a demandé si les bombes étaient de vraies bombes ou de fausses bombes : inventées de toutes pièces. De vraies bombes ! Et maintenant que j'y repense, il me semble que c'est ma bombe qui explose la première, pas celle de de Gaulle.

Là, Livernois s'est laissé aller à parler statistiques : « Curieux ça ! Les statistiques aéronautiques sont pourtant formelles : si on a 10% de chances de tomber sur un avion où il y a une bombe, on en a 0% de tomber sur un avion où il y a deux bombes. La logique semblerait nous pousser à toujours emporter une bombe avec nous. Continue, Oliphant, qu'on en finisse. »

Dans mon rêve, de Gaulle est euphorique et moi aussi. On est à Montréal, mais moi, je me dis que c'est le Chemin du Roy et qu'on est chargés tous les deux comme des gueules de canons.

Livernois m'a dit de ne pas faire de mauvais théâtre et de continuer.

Moi, je ferme les yeux pour retrouver chaque image de mon cauchemar. Je sais que j'entends battre les deux bombes. La mienne, je l'entends par tout le corps, comme si j'avais des oreilles partout, jusque dans les chevilles et les poignets, mais celle de de Gaulle, je l'entends par les yeux : je la vois battre. Je la vois surtout par l'œil gauche parce qu'il est à ma gauche. Là je me mets à avoir un tic nerveux, non seulement un tic à l'œil mais un tic généralisé de toute la gauche. De Gaulle me demande pourquoi je lui fais tant de clins d'œil et tant de simagrées.

Livernois m'a demandé quel accent de Gaulle avait. « Un accent français indubitable ou un faux accent

français ? » Comme s'il se mettait à douter de l'authenticité du de Gaulle de mon cauchemar. C'est important,
selon lui, de savoir à qui on a affaire dans un rêve
comme le mien.

Je connais un peu de Gaulle. Je l'ai rencontré à
quelques reprises. Il a son accent à lui. Quand j'ai dit au
général que nous étions tous les deux porteurs de
bombes en lui montrant nos ventres, il m'a répondu de
ne pas m'inquiéter, qu'elles n'étaient pas amorcées. Il a
ajouté que c'était un truc primaire ou secondaire, selon
le lieu d'où on le regarde. Je lui ai répondu que je les
entendais battre et que des bombes non amorcées ne
battraient pas comme ça.

Ça bat de plus en plus fort et je perds la couleur.
Tout est noir et blanc, mais d'une clarté terrible. L'auto
roule très doucement dans les rues de Montréal. Les
Montréalais sont tous là à crier : Vive de Gaulle, vive
Oliphant, vive Oliphant, vive de Gaulle. On fend la
foule comme un bateau fend les flots.

Il m'a dit d'en rester aux faits : un fait est un fait,
comme dit le proverbe québécois. Même dans un rêve,
ce qui compte, c'est le fait nu, l'événement sans garni-
ture. Lui qui me dit ça ! Lui et son système de base ! Son
système de phrases entremêlées !

Ensuite, ça explose, je sursaute et je me réveille.

Il m'a répété d'arrêter complètement de rêver. Moi,
je me dis qu'il faut au contraire que je continue de rêver
pour tout savoir de ce qui s'en vient. Je me sens branché
sur le futur quand je rêve, même s'il s'agit d'un cauchemar. Le monde rêve, le monde dans sa totalité rêve du
futur et c'est à qui réussirait à capter le rêve en
question. J'ai un don et je le sais.

Le chef n'a pas fait d'efforts pour interpréter ce qui
lui paraît trop clair. Ce cauchemar, selon lui, c'est ce qui

n'arrivera pas : c'est ce que son invention monstre réussira à empêcher.

Il s'est étendu sur son système de base ensuite. Il s'en fait accroire. Il appelle ça sa science déductive : une sorte de grille mêlée, montée en fils d'araignée. Chaque fil est une phrase de base : un proverbe, une pensée de Pascal ou une pensée de Nil Livernois.

« Les pôles se déplacent rarement, Oliphant. Mais ça leur est déjà arrivé de se déplacer. Ce n'est pas impossible qu'ils se déplacent encore. Le centre du monde, lui, se déplace régulièrement. Il s'en vient à Montréal, le centre du monde. Durant l'exposition universelle, il sera ici même. Surtout quand le général de Gaulle remontera le Saint-Laurent : en retard de deux siècles, mais mieux vaut tard que jamais, comme disent les Québécois. »

40

CLAVEL :
AU FOND, L'ATTENTION NE
CONTEMPLE JAMAIS RIEN

L'Œil allait m'apparaître. Il allait ouvrir la porte et la refermer ensuite. Seuls tous les deux. J'allais enfin cesser de toujours l'attendre au détour de tous les méridiens, à toutes les latitudes. La noirceur était presque totale. Je n'arrivais pas à m'y habituer. Seul un trait plus gris sous la porte : il fallait que ce soit la porte.

J'avais fait le tour de la pièce : à tâtons. Les murs, faits de blocs de ciment, devaient avoir un peu plus de deux mètres de haut. Aucun éclairage nulle part. Un lit de métal couvert d'un matelas mince, des toilettes dont la chasse d'eau faisait un bruit exorbitant. Au milieu de la pièce, par terre, un bol de noix et de l'eau en bouteilles de plastique. La porte de métal creux a résonné à fendre le cœur quand j'ai un peu cogné dessus avec les jointures de ma main gauche. Je me savais à des lieues sous terre : une certitude de profondeur souterraine.

L'Œil m'avait voulu impuissant : je l'étais. Je m'étais arrêté de penser : confondu tout d'un coup par l'inconvenance de cette pensée. L'Œil n'aurait pas eu un sentiment si petit, un désir si mesquin. L'Œil était un aventurier : de la sorte que la mort n'impressionne pas. Un joueur qu'aucun enjeu n'impressionnait. M'étaient venues des images de despotes : Hitler, Staline et tous les autres, tout au long de l'histoire. Sous l'histoire aussi : tous ceux dont personne n'a jamais rien su et qui contrôlaient tout d'une manière sous-jacente, invisible et sûre.

À tout prix, élargir ma compréhension. Autrement, je ne comprendrais pas à qui j'avais affaire. Toutes les pensées ordinaires étaient un leurre. L'Œil n'était pas ordinaire : je l'avais toujours su. Pas de pensées toutes faites : aucune ne lui ressemblait. Il était autrement. Me débarrasser des pensées toutes faites, c'était me débarrasser de toutes mes pensées. Je m'en rendais bien compte.

Commencer par me dire : indéfinissable, inclassable.

Continuer en disant : impalpable. Et pourtant, à plusieurs reprises, il m'avait semblé que j'étais confronté avec lui. Ou avec elle. Le coup aux reins, aux poumons, que j'avais ressenti pouvait n'être qu'un souvenir physique de ma piqûre. J'avais le poignet enflé, tout le corps douloureux. Combien de ces rencontres avec l'Œil ? Rencontres discrètes. Plusieurs. Ces confrontations avec le vide de l'Œil me laissaient une sensation de jouissance manquée. C'était manqué, insatisfaisant, mais c'était une jouissance aiguë.

C'était presque toujours après une catastrophe : naturelle ou artificielle. On était là, à faire nos reportages écrits ou télévisés. On était là, horrifiés et fascinés, à se dire qu'il faudrait pouvoir accuser quelqu'un de tous les malheurs du monde.

Des jours sans dormir. Des jours à vivre intensément. Sans répit. À la longue, on se sentait devenir des machines à fabriquer des catastrophes. On en serait arrivés à s'incriminer soi-même. À cause de la confrontation. À cause de la jouissance manquée mais toujours inédite, toujours aiguë. Reconnaissable. L'espace d'un moment, on entrait dans une autre perspective et il n'était plus question d'accuser quelqu'un. On ne comprenait pas, mais on se disait que ce n'était pas parce qu'on ne comprenait pas que c'était incompréhensible. Pour quelqu'un, quelque part, c'était compréhensible.

Quand on y repense ensuite, on cherche à ressentir encore ce qui nous transperçait. On ne peut pas. On n'osait pas trop s'en parler les uns aux autres. On ne jouait pourtant pas, à courir le monde. On ne courait pas les grands événements comme ça, pour le jeu, pour le plaisir. On tenait le monde au courant de tout : c'était notre métier. Un métier comme les autres : innocent autant que les autres. Certains soirs, certaines nuits, on frissonnait, collés les uns aux autres, les unes aux autres.

On buvait beaucoup de café, on sentait le besoin de se toucher les mains, comme des spirites. On délimitait un espace réservé et on appelait une visitation. C'est un métier pas tout à fait comme les autres. Pas tout à fait aussi innocent que la menuiserie ou la plomberie.

Dans cette chambre froide où on m'avait jeté, le désespoir ne m'atteignait pas de front. Je n'avais pas le diable au corps, j'avais le vide au corps, le néant au corps. De jour en jour, je me mettais à le savoir mieux. Il fallait me l'avouer. Mis à penser en un lieu sombre, je redoutais l'abrutissement qui me montait du froid des pieds, de la névralgie de la nuque.

« Une longue habitude des chambres d'hôtel rend le journaliste de pointe presque invulnérable. » Je l'avais écrit dans cette brique d'exaspération qu'était cet essai commencé à Sainte-Luce. Face à la mer, j'écrivais si vite

qu'il me semblait dépasser la vitesse du geste lui-même.
J'aurais voulu savoir quelque chose de ce métier que
j'exerçais depuis tant d'années que plus rien d'autre ne
pourrait plus m'attirer désormais. Invulnérable ? Ce
jour-là, à la noirceur de la cave, le mot tombait comme
un mot tout fait. Pourtant, c'est vrai qu'on était comme
immunisés. Des chambres infestées de parasites où la
solitude nous était un noyau chaud, soigneusement
caché. « Comme le Gulf Stream au sein de l'Atlantique. »

J'écrivais, dans cet essai-marche-forcée, tout ce qui
me passait par la tête : histoire de savoir autre chose
que ce que je savais d'une façon rationnelle. Il fallait que
l'exaspération de ces vacances douces et saines soit
réduite : toutes les phrases m'étaient bonnes qui me
donnaient le vertige d'une certaine vitesse, d'une ivresse
certaine. Seule l'action m'aurait vraiment rasséréné.
Écrire cet océan de mots, en un sens, c'était une action :
à une autre échelle, mais une action comparable. Je
considérais le mot comparable, dans ma cave noire, et le
mot avait tendance à tomber lui aussi, comme les
autres. Comme si une masse de mots, à partir d'un
certain point, pouvait devenir autre chose qu'une masse
de mots. Un œil d'ouragan où s'enrouleraient des bras
comme tous les autres bras d'ouragans. Une nuit, à
Sainte-Luce, une nuit où je n'avais pas dormi, où j'avais
écrit comme on court, comme on vole à la vitesse du
son, je l'avais su.

Des étoiles jusqu'à l'horizon, quand j'avais levé les
yeux de mon cahier à spirale : jusqu'à la côte Nord. La
mer invisible, toute dans le noir sauf peut-être la vague
de tête, à peine plus claire : un ourlet gris. Enroulé dans
une couverture Hudson Bay, des gants de laine collés
aux mains, j'avais écrit des centaines de pages. D'autres
cahiers à spirale étaient empilés sur la chaise de bois, à
côté de moi.

Quand Hélène, repue de soleil et de jeux, s'était endormie, le besoin d'action s'était fait irréductible, impossible à compenser. Dehors, c'était froid, mais il n'y avait pas de vent. Une absence totale de vent. Je me l'étais dit. Une pensée s'était tenue en face de moi comme une apparition : une action est une action. Écrire un océan de mots ou courir le monde : qu'importe. Ce que j'ai toujours cherché, à couvrir les événements du monde, ce n'est pas la catastrophe, mais ce qui sous-tend la catastrophe et qui se montre parfois, après la catastrophe. Un contour surprenant apparaissait parfois.

Ceux qui connaissent la photographie Kirlian comprendraient peut-être mieux que moi ce qui se passe. Comme on peut se mettre à voir, sur la photo, le contour d'un bout de feuille qu'on a pourtant coupé avant de prendre la photo, certains soirs de catastrophe, on se mettait à voir la trace indubitable d'une signature invisible à l'œil nu. Ce n'était pas une trace de pas ni une signature comme on en pose au bas des lettres. C'était une aura, une auréole qui changeait l'aspect de l'événement.

On dit que les terres volcaniques sont les plus fertiles et que sur les parois du Vésuve sont les plus fécondes d'Italie. On se mettait à lire la fécondité sur des terres abandonnées, désertiques et sujettes aux tremblements : des confrontations avec l'Œil peut-être.

J'ai du plaisir à le dire. À me le dire. Un vide me cognait au cerveau, sous la calotte crânienne. Si une action est une action, une action contient toutes les autres en quelque sorte. Pas besoin d'aller couvrir le tremblement de terre du Pérou ou le putsch d'Amérique centrale. J'essayais d'y croire, ce soir-là, à Sainte-Luce. J'écrivais à la noirceur, ma page à peine plus claire que la vague de tête qui montait vers la balustrade. Je couvrais mes feuilles, j'instruisais une longue cause, sans trop me l'avouer. Sans presque lever la plume, j'écrivais. Une voix montait avec la marée. Que je brouillais de toutes mes forces. Ce n'était pas la voix que j'attendais. Ce n'était pas l'histoire de ma vie. J'écrivais un essai sur le journalisme de pointe. Ce n'était pas vraiment l'histoire de ma vie. Mais je couvrais des feuilles et des feuilles : et il s'agissait de fine pointe. Des reportages que je reconnaissais sans tout à fait les reconnaître. Comme si l'expérience avait été plus vaste que la mienne. Comme si tous les événements que j'avais couverts, qu'on s'était mis à plusieurs pour couvrir, prenaient toutes sortes de halos qui nous avaient paru absents à ces moments-là.

Tout s'était mis à briller, tout ce que j'avais écrit. Tous les événements aux causes inconnaissables brillaient d'une lumière qui venait d'ailleurs.

Dans ma cave noire, j'ai vu le mot « ailleurs » tomber comme une roche. La lumière ne venait pas d'ailleurs. Non. La lumière était là, autour. Elle venait des événements que j'avais racontés, décrits au meilleur de mon souvenir. Mieux que dans mes reportages. Souvent, il m'était arrivé de relire un ou deux reportages, à des années d'intervalle. Jamais je n'avais vu cette ligne dessinée avec une plume de lumière. J'écrivais avec un autre instrument. Je faisais de la photographie Kirlian.

On aurait dit que cette lumière éclairait même mon cahier à spirale. Sans dérougir, j'écrivais. Sans m'arrêter. En certains lieux, il valait mieux ne pas s'arrêter : certains marais, certains sables, certains oasis malfamés, certaines villes surpeuplées. Jungles où des routes se bâtissaient à force d'argent et de sacrifices humains. Andes fabuleuses où les misères défaisaient tous les souvenirs d'Eldorado : pays torturés pour rien. J'avais trop vu d'espérances démontées ? J'avais été confronté à trop de désespoirs, à trop de suicides ? Pas trop. On ne couvre pas les événements de son temps avec un style fleuri. On les couvre comme ils doivent être couverts : avec une rage à jamais inassouvie de comprendre.

Cette nuit-là, à Sainte-Luce, l'action m'a été donnée comme aux meilleures heures de ma vie : rien qu'en écrivant. Il n'y a qu'une action, il n'y a qu'un amour. Dans ma cave noire, les deux mots continuaient de se tenir debout devant moi : sortes d'hologrammes peu sûrs.

Le lendemain, j'avais parlé de faux-semblant. Hélène avait eu dans l'œil cette lueur que j'aime comme au premier jour où je l'ai connue. Combien d'années à être mari et femme ? Par moments, je me dis que le temps n'existe pas, vraiment pas. C'est une idée toute faite qui tombe quand on écrit sans dérougir toute la nuit. Elle me connaissait mieux que personne d'autre au monde. Et pourtant, je n'étais presque jamais avec elle. Elle avait hâte que je reparte, je le sentais. Quelques heures avec moi lui suffisaient. Des heures d'intensité. Ce qu'elle aimait, c'était de me voir arriver : le moment où elle me revoyait après des mois d'absence. Le choc la réjouissait. Ensuite, elle m'aurait fait disparaître si elle avait eu une baguette magique ou une rampe de lancement appropriée.

Le lendemain, une sorte de terreur m'avait pris à la poitrine en voyant tout ce que j'avais écrit. Tout le papier que j'avais noirci. Ce n'était pas le mot noirci qui m'était venu, mais le mot brûlé. Comme on brûle des étapes. Quand on écrit intensément, on brûle des étapes. C'est là que je le savais.

Comme ça, par désœuvrement, par pur besoin d'action, par exaspération, j'avais commencé à écrire dans un cahier à spirale. Sans me méfier. J'ai tant fait de reportages, d'articles, de pages de journal. Ce qui s'était passé durant la nuit relevait d'une technique différente. À coup sûr. Hélène m'avait regardé encore : la même lueur dans l'œil. Il me semblait toujours qu'il n'y avait qu'un de ses yeux qui avait cette fameuse lueur que j'aimais tant : l'œil gauche, porté aux clins d'œil, aux lueurs et à l'ironie.

J'avais parlé de faux-semblant. Je m'étais lancé dans le fleuve glacé, en face du chalet : sans arrière-pensée. Sans aucune pensée. Je m'étais habitué depuis longtemps à faire le vide : histoire de jouir mieux des sensations physiques sans être dérangé par toutes sortes de distractions. L'eau était si froide que je m'étais senti mourir et revivre en une fraction de seconde.

« Entendre encore le discours de l'absent. » Mon essai se terminait par cette phrase. Je m'en souvenais très bien dans ma cave noire. Je l'avais en tête aussi, ce jour-là, à Sainte-Luce, quand je suis sorti du fleuve les pieds et les mains bleus de froid. Les enfants s'ébrouaient, mangeaient, criaient, chantaient. Je n'en revenais pas de les voir si vivantes, si détachées de moi. Comme si je n'étais pas là. Je sentais bien que le moyen que moi, j'avais trouvé de vivre, n'était pas le moyen courant. Un succédané ?

Je n'avais pas essayé longtemps de discréditer mon expérience. « J'avais trouvé la nuit vide. » Des phrases m'arrivaient de front. Je ne me souvenais pas avoir écrit rien de pareil durant la nuit. La phrase m'avait réchauffé en sortant de l'eau. J'avais des aiguilles cuisantes partout dans les pieds et les mains. Le bleu se déplaçait vers le rouge. Comme les étoiles qui vieillissent. Je sentais à peine les galets de la grève. De quelle nuit s'agissait-il ? Je n'en savais rien. On aurait dit le contrecoup d'une pensée que je n'aurais pas eue. Il ne me restait que ce coin de feuille, détaché du reste, et qu'avait saisi mon appareil à Kirlian.

C'est plus tard, le même jour, qu'Hélène m'avait fait de grands signes. Une lettre était arrivée. Une lettre urgente. Depuis le temps, elle savait à quoi s'en tenir. Elle ne craignait plus rien pour moi. Les femmes inquiètes n'épousent pas les journalistes de pointe. Une jouissance. Quand je n'étais pas là pour l'amour, c'est le cosmos tout entier qui l'investissait. Une jouisseuse. Je le savais depuis toujours. Elle aimait le soleil, l'océan, la terre, la lune et tout ce qui s'ensuit. Une longue histoire de suicides dans sa famille. En dix générations, la moitié s'étaient suicidés.

Je ne m'inquiétais pas moi non plus : ni d'elle ni des enfants. Ces suicides n'étaient pas une affaire de déses-poir : elle me le disait, certaines nuits. Ils se mettaient à entendre un appel pressant et répondaient : présents. Hélène et moi, on s'était fait des promesses de confiance absolue : en se regardant droit dans l'œil. Moi aussi, j'en avais un qui souriait plus que l'autre, qui parlait plus que l'autre.

Les enfants dévoraient ce matin-là : des lionnes, de jeunes lionnes. Les gestes rapides, gracieux, habiles. Les oranges étaient pelées, le miel tartiné, le chocolat brassé. Des images colorées pour ma cave noire. Hélène, avec son air de tout savoir ce que je pense à mesure : peut-être avant. Avant-premières : tu songes à partir, Clavel ! Elle m'a toujours appelé Clavel. Je ne m'étais pas regardé dans le miroir, ce matin-là, mais je m'imaginais facilement. D'avoir écrit toute la nuit, d'avoir été con-fronté, à l'aube, avec une résurrection à peine reconnais-sable, m'avait laissé souriant, incrédule et probablement les yeux luisants.

Les enfants sur la plage immense, à jouer et à bâtir toutes sortes de choses, on s'était mis, tous les deux, à faire toutes sortes de comparaisons cosmiques. Je lui disais qu'elle était mon cosmos. Ça la faisait rire, les poètes qui comparaient les femmes à des corps célestes. Des corps célestes fabuleusement éloignés.

Dans ma cave obscure, le temps doit exister, mais c'est un temps à une autre échelle. Dans ce silence et cette noirceur presque totale. »

41

MÉLUSINE VOUDRAIT CHANGER
LA GÉOMÉTRIE

R aymond était venu faire son tour : « Simon Clavel a disparu. » Raymond prétendait qu'il l'avait vu enlever chez les Livernois, lors d'une lecture de pensée. Il aurait pu crier ou faire quelque chose s'il avait tout vu. Il avait pensé que ça faisait partie du spectacle. Une espèce de cyclope en manteau de velours avait fait semblant de lire les pensées des invités. Il disait n'importe quoi. Terrible. L'invité en question voulait tuer quelqu'un, mais ce n'était pas de la haine qu'il éprouvait pour sa victime. Vraiment lamentable comme spectacle. Tellement lamentable qu'il s'était dit qu'il fallait que ce soit vrai : le cyclope lisait vraiment la pensée de quelqu'un. Quand on a la liberté d'inventer ce qu'on veut, on n'invente pas une pareille chose. À un moment, quelqu'un était tombé de la mezzanine sur une table pleine de bouteilles. Raymond avait vu le cyclope sortir par une porte derrière le piano et Clavel s'engouffrer là, lui aussi. Tellement vite qu'on aurait dit de l'escamotage, de la magie.

Raymond enfin parti. Mélusine faisait un tableau avec trois couleurs : du jaune, du bleu et du vert. Un seul trait rouge : de biais. C'était de la géométrie. Son style géométrique. Elle voulait faire de la géométrie presque plane. Une volonté de rester dans les deux dimensions. C'est le trait rouge qui a tout gâché. Quelle idée d'aller mettre un trait rouge là. Elle a essayé de le gratter. Inutile. Elle a essayé de le couvrir. Elle a réussi, mais pas complètement : il transparaissait toujours. Gratter, gratter, gratter, jusqu'à la toile, jusqu'au grain de la toile : le trait durait de quelque façon. Irrémédiable.

Rester là à penser à Lassonde, au dossier Riverin, à ses monstres partis. Même le grand. Raymond avait insisté pour l'emporter. Ses exclamations comme hors de propos. Qu'est-ce qui te prend ? C'est la première fois que tu vois un monstre ? C'est de la poésie pure ! C'est provocant ! Un réservoir d'énergie ! Une bombe mentale ! Ton prix est le mien, Mélusine. Un dilemme pour Mélusine. Vendre Bouhou ? À son ami d'enfance ? Lui donner Bouhou ? Le prêter ? Prêter Bouhou. Quand il l'aura assez vu, il le rapportera. Elle a un grand mur nu maintenant. La fenêtre sur le monde est fermée temporairement. Tous les monstres sortis de ses mains sont partis, disparus. Personne pour la regarder dans les yeux : la mort impossible. Mélusine se dit qu'elle aurait dû mettre un miroir en face de Bouhou pour voir ce qui se serait passé. Le regard de Méduse tue. Si Méduse se regarde elle-même, elle se tue elle-même. Le regard sur soi : l'action mortelle. La voyante ne peut pas se regarder dans le miroir : faite pour voir les lignes du monde, les liens inextricables qui lient tout à tout. On ne sort pas, on ne s'en va pas, Mélusine : on colle, on est collé.

Elle se sent réceptrice, se met à tirer vers elle les forces sidérales. Celles qui flottent, libres. Partout.

Sa toile manquée sur le chevalet. Faire encore de la peinture de chevalet. Faire de la peinture de plancher aussi. De la peinture de mur, de la peinture de plein air. Tout essayé. Rien ne va plus. C'est une journée comme ça. Des idées lui étaient venues de monstre superposé à la géométrie grattée.

Rester là, à penser à son divorce, à ses amis, à ses amies, à Lassonde, à Clavel, à Oliphant, à Livernois. Ils sont tous venus là, attirés par l'inavouable. Elle a quelque chose, Mélusine! Se rappeler les chansons grivoises de son grand-père. Quelque chose de caché.

Ils lui arrivaient déguisés, la plupart du temps : en toutes sortes de personnages. Oliphant ici! Elle l'avait regardé dormir. Elle avait fait des projets de masques funéraires. Livernois ici et ce qu'il voulait, lui, c'était parler. Elle avait voulu faire une caricature de lui. Pourquoi une caricature? Il aimerait peut-être mieux un monstre spécifique? Comment ça spécifique? Comment le verrait-elle, ce monstre spécifique? Un paradoxe vivant : laid et surdoué. Il avait souri d'aise, Livernois, en entendant ça. Souri comme elle ne l'avait jamais vu sourire. Tout ce qu'il s'était mis à raconter avait résonné : du clinquant. Des cymbales retentissantes. Elle avait fait un dessin de lui : une tête en deux hémisphères prêts à retentir l'un sur l'autre. Elle lui avait montré le dessin : des yeux tout blancs, dans l'espace horizontal entre les deux demi-boules. Il se reconnaissait! Elle lui avait collé des cheveux frisés sur le pôle Nord. Sous le pôle Sud, elle avait descendu une barbe comme dans l'ancienne Chine : longue et fine. Il avait voulu garder le dessin. Sans même le payer, comme si les artistes vivaient de l'air du temps.

Par moments, Mélusine voudrait vivre en accéléré. Elle pouvait passer dix heures d'affilée sur une toile mais ce qu'elle aimait par-dessus tout, c'était faire des tableaux, des tableaux, des tableaux. Des sprints. Quelque chose d'essentiel qu'elle ne comprenait pas dans sa vie. Ça ne pouvait pas être tout, ça! Il fallait qu'il y ait quelque chose de gros qu'elle ne comprenait pas. Qu'elle ne voyait pas. Avant son divorce, elle disait qu'elle avait besoin de plus d'autonomie. Elle en avait de l'autonomie. De quoi avait-elle donc besoin ? Des amis, des amies, des amants, des amantes, elle en avait. Il ne lui manquait rien. Plus rien. Rien que l'essentiel.

Regarder son tableau manqué, comme elle n'a jamais regardé aucun de ses tableaux : raté et pourtant, elle n'arrivait pas à le mettre de côté. Comme si elle se mettait à voir là un fonctionnement, le processus même de fabrication de ses tableaux.

Un de ses clients de trottoir lui a dit qu'elle devait être un monstre, pour faire tant de monstres. Femme déchue ! Il y en a un qui lui avait crié ça, en passant : femme déchue fait des tableaux déchus. Elle s'est retenue de lui rire au nez. Il avait l'air furieux d'un justicier. Pourquoi ce besoin de tant faire de dessins ? Des monstres, des lignes, des espaces entre les formes géométriques. Les formes à deux dimensions, mais l'espace avance, recule : autour, partout.

Tu te penses forte à faire ces horreurs-là ? Il était parti, il était revenu. Lassonde faisait semblant de ne rien entendre. Il l'aurait battu. Elle le savait : rien qu'à voir ses lèvres. Il a le poing facile, Lassonde : il a longtemps fait de la boxe. Tu t'arroges des pouvoirs. Tu n'as pas le droit de dessiner ça. C'est de la création ! Il criait et les gens s'arrêtaient pour l'écouter, pour rire de son extravagance. C'est de la création caricaturale. On n'a pas idée de fabriquer des monstres en série. C'est le même ? Ou c'est pas le même ? Pas le même. C'est une série de monstres semblables mais tous différents les uns des autres.

Revenir à son tableau manqué. Soupirer. Un raté. Ça arrive. C'est elle : une ratée. Sa structure intime bien grattée : fascinant. Avoir devant soi la possibilité de voir comment on est bâtie : géométries grattées, jaune-bleu-vert, avec repentir rouge, de biais, en plein milieu. De l'espace devant et derrière où siffle un vent sans commencement ni fin.

Avoir en soi le pouvoir féroce de modifier cette géométrie, ce repentir, cet échafaudage mal pensé.

Il crie dans son cœur comme il crie sur la ville.

Rester là, quand elle pourrait marcher dans l'air d'octobre. Savoir ! Sa première concupiscence. Faire des monstres, la structure à l'air : sa deuxième concupiscence. Faire l'amour ensuite : entrer en contact avec les concupiscences des autres, avec les géométries visibles et invisibles de toutes les personnes, de toutes les femmes, de tous les hommes. Tout ce qui est humain l'attire. Rien ne la laisse indifférente.

Faire une autre caricature pour *La vie en rouge*. Insister pour être payée rubis sur l'ongle, mais se dire qu'on paierait pour avoir le plaisir de continuer. S'en prendre à la publicité de la télévision payante qui la montre comme un veau d'or aveuglant devant lequel tombent les tout gagnés, tout obsédés, tout sex-appealés. Caricature réussie. Du premier coup.

Toute l'équipe est venue souper hier. Tu peux en faire deux pour la prochaine édition : une sur la publicité et une sur la censure.

Rester là. Clouée là. Quand dehors le soleil brille : le soleil d'octobre. Rivée là, parce qu'on ne sait plus la différence entre le bien et le mal. Comme si la bombe à neutrons et les ogives nucléaires n'étaient pas le mal : le mal signé mal. Indubitablement.

On ne peut pas être au-delà du bien et du mal. Nulle part où se réfugier, Mélusine ! Rester fascinée devant le tableau manqué : paralysée et pourtant en pleine lutte.

La femme normale est une hybride. Monstrueuse, fabuleuse.

Un branle de métamorphoses dans tout le corps. Changer! Et pourtant, ce qu'elle est en train de faire, c'est un autre monstre. Sur sa géométrie manquée. Une grande bouche rouge posée de travers : qui suit le trait de biais à peu de chose près. Des yeux, des nez, des oreilles. Ne rien se refuser.

Prendre peur devant les proportions qu'est en train de prendre son besoin de faire des monstres. L'horrible, prêt à surgir de partout. En rire et pourtant se dire que c'est dangereux. Dangereux de faire des monstres, dangereux de ne pas les faire. Car ils forcent de partout : l'innommable, l'obscur, l'opaque.

Il fait noir maintenant et il pleut : sortir en imperméable, en bottes, en capuchon. Défier les intelligences noires qui luisent sur l'asphalte. Tout est réverbéré. Marcher vers l'appartement de Lassonde. Entrer dans le dynamisme de la ville. Des autos aveuglées, aveuglantes, des bruits d'avion, des sirènes, des cris, des jappements. Montréal, ville d'élection d'un monstre spécifique.

Marcher lentement, savourer le bain de forces contraires : attirantes, repoussantes, entêtantes. Belle et horrible ville. Entrer en contact avec les lignes de l'univers qui vibrent ici. Rassembler les monstres sous son pinceau. Les empêcher de nuire. Les harnacher : chevaux-vapeurs en mutations, licornes, vers luisants disproportionnés.

42

LASSONDE SE DIT DES CHOSES POUR SON ÉTONNEMENT

« Les pièces du dossier peuvent rarement être prises pour ce qu'elles sont. Presque toujours, ce qu'il faut considérer, c'est bien plutôt l'effet Brind'Amour, l'effet Riverin ou l'effet Livernois. Les écritures sont trompeuses et ils parlent les uns des autres en prenant toutes sortes de tons : ironie ou mimétisme.

La visite de de Gaulle à Montréal a continué d'intéresser les Américains pendant encore plusieurs années. Les relations Brind'Amour-Hyatt ont pris une allure différente à un moment donné. On dirait une entente bilatérale.

Où Riverin s'est-il procuré tout ça ? Personne ne se méfiait de Riverin. L'admiration haineuse qu'il portait au maire le rendait ridicule. Aux yeux de tout le monde, il était vite devenu une quantité négligeable. L'enquête secrète qu'il menait et dont il ne parlait jamais l'avait rendu susceptible. Comme évidé. Aussitôt que la conversation touchait à sa préoccupation, il se taisait. Abruptement, il se retirait du jeu verbal. Ça permettait à Brind'Amour de faire la carte du cratère au centre de Riverin, comme elle l'avoue, quelque part. Il semble que de 1966 à 1979, Brind'Amour ait joué un rôle de premier plan, non seulement à la mairie de Montréal, mais ailleurs aussi.

Riverin le faisait peut-être exprès. Il se serait donné l'air inoffensif, justement pour qu'on ne se méfie pas de lui. Il n'aurait pas réussi à accumuler pareil dossier autrement.

Chaque fois que je m'installe pour étudier le dossier, je passe les mains dedans. Les yeux fermés, j'en arrive à des idées extravagantes. Riverin n'aurait pas eu l'intention droite ? Aucune intention ? Il aurait enfilé tout ça, comme on fait une collection d'insolites ? Certains jours j'aurais répondu : oui.

Je m'en tiens à une seule pièce du dossier parfois. Les autres jours, je manipule des champs de feuilles. C'est vraiment l'impression que j'ai : un champ couvert d'événements. Bons, mauvais, en fleurs ou non. Ces jours-là, j'étends les pièces sur le tapis, comme Malraux avait étendu son musée imaginaire. Les jours sont de plus en plus courts. La nuit empiète.

Après avoir lu ce texte de Brind'Amour, probablement écrit par Brind'Amour elle-même, j'étais allé marcher dans Montréal, en laissant tout ça par terre.

Le texte en question, daté de novembre 1967, sonne faux. Elle semble pourtant l'écrire pour ses propres besoins. On se prend pourtant à se demander qui elle visait. Comme un mémorialiste qui chercherait une vengeance posthume. Ce qu'elle s'essayait à faire n'avait rien de banal. Elle aurait eu conscience de sa force. Elle se serait sentie au point névralgique d'un organisme aux longues ramifications. »

43

LES FRANÇAIS REVIENDRONT OU LE RIRE COSMIQUE NOVEMBRE 1967

« Il a neigé sur le mont Royal. Il a venté, poudré. Là où je suis assise, dans la salle à manger d'*Altitude*, Montréal n'est plus que cette montagne prise dans le vent. J'ai le fleuve dans le dos et les corridors entre les gratte-ciel où tout le monde doit marcher un peu penché, un peu renfrogné. Le premier froid. On entre dans la vraie saison.

Pas grand monde. C'est trop tôt. L'apéritif se délave. J'attends quelqu'un qui ne viendra peut-être pas. Il ne viendra peut-être plus. Comme si nos relations avaient assez duré. Comme si je n'avais pas vu son jeu dès le premier jour beaucoup mieux que lui. Il avait carte presque blanche avec moi. Il ne savait pas ce qu'il faisait, c'était visible. Il tâtait le terrain. Il s'aventurait en terre inconnue. Avec l'expérience qu'il avait, il a vite compris que c'est moi qui menais le jeu. Je continuerais le voyage ! Il faudrait qu'il justifie sa mission. Qu'est-ce que je pourrais bien avoir à dire maintenant qu'a eu lieu la clôture de l'exposition universelle de Montréal ? Maintenant qu'Oliphant et de Gaulle ont échappé à leurs destins.

On peut se demander de quel dramaturge s'inspirait Brutus dans l'histoire romaine. On peut se demander de quel farceur s'est inspiré Livernois dans l'histoire québécoise. Le chef et sa machine à ne pas assassiner les bien-aimés. Personne nulle part : rien que des ondes de choc. Pas d'assassin, pas de complices, pas d'indicateurs, mais beaucoup d'intensité dans tout ça.

Hyatt savait qu'Oliphant et de Gaulle seraient assassinés. Pour ceux qui l'emploient, pour la CIA, c'était inévitable. Trop de convergences, trop de flèches pointées. Il aurait fallu une force de police impensable pour empêcher l'événement d'avoir lieu.

Quand de Gaulle, désireux de faire un grand pied-de-nez aux envahisseurs d'Ottawa, avait décidé de s'en venir en bateau, Hyatt avait tellement ri que c'en était inquiétant : ce grand rire qui sortait du corps d'un agent secret. On était ici, au restaurant, ici, mais de l'autre côté : du côté du fleuve. Le printemps dans l'air, ce jour-là, pas l'hiver comme aujourd'hui. L'odeur de poussière des trottoirs nous était restée dans le nez. Et l'odeur de l'amour partout. Il riait trop. Moi, j'ai toujours été sensible à certain rire. C'est là que j'ai décidé que notre aventure amoureuse durerait jusqu'à la fin des temps. Durerait quelque temps. La volupté peut venir de partout. J'étais souvent restée inerte au centre des caresses les plus pertinentes. De l'entendre rire en pensant à de Gaulle qui allait remonter le Saint-Laurent pour éviter de donner la préséance aux vainqueurs de 1759, de le voir en pleurer tout haut en plein restaurant m'avait émue jusqu'à la fine pointe.

Je lui avais récité quelques vers du *Vieux soldat* de Crémazie qui, les yeux braqués sur le fleuve, n'en finissait plus d'attendre que la France vienne nous sauver, vienne nous aider, revienne vers nous. Quand, déjà, ils étaient entrés dans le pays, les autres. Les Français allaient pourtant revenir. Ils allaient pourtant se montrer à l'horizon du grand fleuve. Le vieux soldat ne voulait pas cesser de regarder le fleuve d'où l'espoir allait pourtant pointer. Deux cent huit ans de retard, mais ils s'en venaient. Un Français s'en venait : de Gaulle avait décidé de s'en venir en bateau.

Hyatt riait beaucoup trop. Et moi aussi. La table était petite et j'ai les jambes longues. Lui aussi. Vibrations, oscillations. Secousses à peine mesurables au sismographe.

Mais qui s'inspirait encore du *Vieux soldat* de Crémazie ? Personne. De Gaulle ne l'a jamais lu. Français aveugle : destin aveugle.

Avec Hyatt, au printemps de 1967, les règles du jeu étaient déjà faussées. Pas vraiment fausses. D'avoir carte blanche à mon sujet l'avait laissé perplexe, porté à rire. J'ai su ensuite qu'il n'avait eu jusque-là que des missions très précises. S'ils l'avaient envoyé ici, c'était peut-être pour lui donner des vacances. C'est bien plutôt, et moi j'en savais quelque chose, parce que les trois agents qu'ils m'avaient d'abord lancés dans les jambes avaient reçu des ruades instantanées et d'une grande précision. Ils ne me faisaient pas rire. Pas de mission ferme avec Brind'Amour. Je les voyais trop venir avec leurs questions mal maquillées et leur examen objectif.

Si la CIA a décidé d'envoyer Hyatt à Montréal, c'est parce que personne d'autre n'aurait réussi. Au fond, il n'a pas réussi lui non plus. Je n'ai trahi aucun secret, mais j'ai accepté de le voir et de rire avec lui. Pour la CIA, c'était un début d'action. Une sorte de résultat. Le contact établi, Hyatt devait normalement tirer de moi tout ce qu'il voudrait. C'était fatal : je m'oublierais, je m'échapperais, je dirais ce qu'ils voulaient savoir. Certains théoriciens de l'amour en sont encore à penser que la conscience nuit au plaisir et que le plaisir rend inconscient. Manque d'envergure débilitant. Une autre conscience intervient durant le plaisir. Autrement précieuse, d'un degré bien supérieur.

Quand j'ai commencé à écrire mes petites notes infantiles, tout le temps qu'a duré ce rôle de secrétaire-enfant que je me donnais, je jouissais de lui avec une grande lucidité. Ça fait pompeux de dire ça, je le sais. Je suis seule avec mon papier devant moi. Je pense que je fais semblant de l'attendre : il ne viendra pas aujourd'hui. Pourtant, si j'en crois mes genoux sous la nappe, si j'en crois mes oreilles, déjà il est débarqué. Il remonte la voie d'eau.

Quand on écrit son journal personnel, on se rend compte d'une chose : on est conscient de son inconscient. Moi, dans le moment, je suis consciente de mon inconscient. Et c'est vaste comme champ. Pas un champ unitaire. L'unité dans la diversité, expression bien québécoise, comme dirait le chef. C'est l'une de ses phrases de base. Au début, il ne se ventait que tout bas de ce système de référence qu'il était en train de construire. Maintenant, il ne se gêne plus. D'avoir monté ce faux complot l'a mis dans le rôle de Brutus, qu'il s'en rende compte ou non. On ne monte pas un complot de cette envergure sans ressentir les effets du montage lui-même. Que le complot ne soit là que pour démonter toutes les autres constructions en cours ne change pas grand-chose à l'effet Brutus.

Le chef de police en est venu à changer d'air. La dernière photo qui a paru dans *La Nouvelle Presse* avait quelque chose de monstrueux. Candide et monstrueux : incroyable. Que la photo ait été brouillée faisait encore ressortir le travail qu'avait opéré la trahison. Aucun besoin de volonté réelle de trahir, l'idée de trahir suffit. Même l'idée de ne pas trahir. La volonté d'empêcher la trahison. Dans ce champ de mots, en boutons, en fleurs ou montés en graines, l'effet Brutus est mesurable. Positif ou négatif, cet effet n'est jamais nul. Je m'en rends bien compte. Moi aussi je suis touchée.

Le maire était au courant : évidemment. Il se sentait co-auteur de la chose. Il a fait semblant d'être rassuré. Mon pauvre cher grand homme. Je ne me leurre pas. Si je n'ai pas trahi ses secrets, je sais bien que mes relations avec Hyatt ont opéré une percée dans la sécurité de l'État : quand même. Par le seul fait qu'on ait fait l'amour, qu'on se soit envoyé des notes infantiles, qu'on ait ri à toutes sortes de poésies désuètes, on a mis la sécurité de ces deux grands hommes en jeu. Je suis plus que lucide. Ma lucidité vaut pour moi aussi, pas seulement pour le chef Livernois. Si j'ai accepté de jouer avec Hyatt et la CIA, c'est que je me suis dit que j'en ferais un jeu imprévu : la souris et l'éléphant. »

44

CLAVEL A-T-IL ÉTÉ MIS
À PENSER?

Clavel était resté trois semaines à la noirceur. Il avait des noix dans un immense bol et de l'eau d'Évian en bouteilles. Réduit à lui-même. Mis à penser. Écroué.

Il s'était dit que l'épreuve durait trop longtemps. L'air était changé à intervalles réguliers ou irréguliers : il n'était sûr de rien. Il entendait l'air frais entrer, le vieil air sortir. Il lui semblait que son matelas était posé au centre de la turbulence.

Tout oreilles. Il écoutait mais sans faire l'effort d'écouter. Un éveil comme il n'en avait jamais expérimenté. Aucun bruit en dehors de l'inspiration et de l'expiration de l'air. Aucun lieu du monde ne lui avait jamais paru si silencieux. Sa respiration se mit à prendre de l'importance. Elle n'était pas bruyante : réduite au silence, elle aussi. Les battements du cœur de plus en plus lents : du moins, c'est ce qu'il s'était dit. Il se sentait hors du monde. Jusqu'à se dire qu'il était peut-être mort.

On lui avait laissé ses vêtements, ses chaussures, mais rien d'autre. Ses poches vides, son poignet nu, son annulaire dégarni.

Au début, il s'était dit qu'on l'avait mis à penser : l'idée lui plaisait. Ensuite, tout le contraire semblait se passer : il était comme débranché de son cerveau. Laissé à lui-même, le terminal se demande ce qui lui arrive. Clavel avait perdu quelque chose et ne savait trop quoi. Les idées, les images qui lui restaient encore étaient de plus en plus livrées à une entropie généralisée. Des liens curieux s'établissaient entre les mots qui lui revenaient à intervalles imprévisibles. On l'avait drogué, mais depuis le temps qu'il était ici, l'effet aurait dû disparaître.

Un désir de faire le point : mais peu prononcé. Il était là en la présence de l'Œil. Il avait été amené ici par ses ordres. Rien : aucune sensation de présence. Il avait beau se mettre devant le fait accompli : il n'y croyait pas. C'était arrivé et il n'y croyait pas. Quelqu'un voulait se servir de lui. Tout simplement. Quelqu'un avait assassiné les trois Haïtiens... Il n'arrivait plus à se souvenir de ce qui s'était vraiment passé. Comme s'il ne l'avait jamais su. Ces assassinats n'avaient été qu'un moyen détourné pour arriver à d'autres fins. Pourquoi les manipulateurs n'étaient-ils pas entrés en contact avec lui tout de suite sans passer par les Haïtiens ? Cette fusillade n'était pas prévue ? Quelqu'un aurait profité de la réunion à l'imprimerie pour se débarrasser d'ennemis personnels : tous ensemble. L'Œil n'aurait rien à y voir ? Un grand froid au milieu de la turbulence.

45

FERDINAND DE MONTRÉAL ET ISABELLE DES LAURENTIDES

« L'impensable gratuité des catastrophes naturelles. » Clavel avait écrit ça dans un de ses reportages : l'éruption de l'Etna. « L'avance brûlante de la lave. L'incandescente preuve d'un arbitraire despotique. » Il n'avait jamais complètement renoncé au plaisir de se regarder écrire. À la rigueur scientifique de ses descriptions et de ses analyses correspondait toujours cette part de futilité : quelques phrases complaisantes dans le dernier paragraphe.

Le rédacteur en chef avait un jour coupé cette « aile au milieu du front », comme il avait appelé l'appendice romantique. Clavel avait menacé de ne plus jamais rien écrire pour *La Nouvelle Presse*, si le paragraphe en question n'était pas publié tout seul en première page le lendemain.

Le rédacteur en chef avait obtempéré, certain d'attirer sur la tête de Clavel les charbons ardents des actionnaires. Le paragraphe avait paru entre guillemets, en gros caractères, et le public n'en était pas revenu.

L'aile grossie, séparée du front, sortie du reportage rigoureux des événements avait pris figure d'apparition. Des milliers de lettres, d'appels téléphoniques au journal. Une insistance sans aucune proportion avec l'envolée bénigne de cette fin d'article.

Le rédacteur en chef avait dû aller s'expliquer devant le Conseil d'administration du journal qui s'était réuni d'urgence. Car l'affaire avait pris des proportions indues. C'était en 1967, à la veille de l'exposition universelle et le milieu de l'information, le milieu des affaires, le milieu gouvernemental, tous les milieux souffraient de sursaturation.

Clavel avait couvert la prise de pouvoir dans un des pays d'Amérique centrale. Les révolutionnaires avaient tout juste eu le temps de prendre le pouvoir. Ils avaient dû lâcher prise tout de suite après. Ils s'étaient retrouvés en prison. Le reportage avait été écrit serré: un style austère. Une idée précise des événements, oui, mais les lecteurs étaient quand même restés sous l'impression que l'essentiel manquait au reportage de Clavel. D'habitude, ils se sentaient autrement après la lecture de ce qu'il écrivait. Les lecteurs qui n'achetaient souvent le journal que pour lire ses reportages étaient restés comme en suspens. Ils se plaignaient presque tous de ne pas être dans leur assiette. Ils allaient jusqu'à relire son article plusieurs fois pour essayer de comprendre pourquoi ils avaient cette sensation terrible de manque. Ils ne trouvaient rien à redire à rien, mais ils se sentaient mal.

Ce jour-là, tout le monde avait parlé plus que de raison de cette prise de pouvoir qui n'avait même pas duré ce que durent les roses. Des couples allaient jusqu'à y faire allusion avant l'amour ou après les dernières harmoniques de l'orgasme. Des familles entières en avaient discuté violemment tout en faisant semblant de se moquer de cette prise de pouvoir sans lendemain.

« Sursum corda » s'était écrié le chef Livernois. « À quoi ça rime ? Une manière de prise de pouvoir. Moins que rien. » Et pourtant, lui aussi avait été dérangé par l'article de Clavel. Incomplet. C'était incomplet. Clarice avait écrit sur le cahier près du téléphone que Clavel avait dû être censuré. Ça sentait la coupure et le chef avait empoigné l'idée avec toutes les autres qu'il avait. L'élaboration de son système de référence l'occupait de plus en plus. Clarice le voyait à peine mais quand elle l'apercevait, au hasard de ses incursions à la cuisine, il en était presque toujours à ruminer des phrases toutes faites. Toutes faites ? Il aurait protesté, s'il l'avait entendue penser. Peut-être. Pourquoi pas des idées faites ici, chez nous ? La tradition québécoise est riche : une bonne terre composée de bons préceptes, de bons sels moraux. Clarice tournait, dans son sous-sol, ses belles poteries sans âge. Elle les faisait sécher, les faisait cuire, les glaçait. Elle tournait des phrases de Clavel aussi, tout en tournant ses poteries. Ce jour-là, elle s'était dit, elle aussi, que l'article sur la prise de pouvoir pêchait gravement en quelque point. Une bulle était restée prise dans l'argile du texte. Le lendemain, elle avait lu le paragraphe manquant : en première page, et entre guillemets. Elle avait dû respirer très profondément pour reprendre son calme et elle s'était empressée de téléphoner au journal. Comme des milliers d'autres. Les préposées au téléphone prenaient des notes. Ça faisait partie de leur travail : le pouls des lecteurs. À midi, elles allaient manger ensemble dans un petit restaurant italien et mettaient le répondeur automatique.

L'étonnement s'était aggravé. Ginette n'avait pas lu le journal la veille et ça rendait les commentaires qu'elle notait encore plus extravagants. Marielle l'avait lu plusieurs fois : elle aimait Clavel sans l'avoir jamais vu.

Elle lui vouait un amour coloré. C'est le seul adjectif qui lui semblait adéquat. Qu'il soit marié, qu'il ait trois petites filles, n'avait rien à voir avec l'amour fauve qu'elle avait pour lui. Quand elle avait lu le reportage sur la prise de pouvoir en Amérique centrale, toute seule dans son lit, son amour s'était comme décoloré, l'espace d'un moment : elle avait perdu la couleur tout d'un coup. Restée sur sa faim, elle avait relu l'article tout au long, comme bien d'autres : rien de plus. C'était bien tout. On ne peut pas aimer tout le temps avec la même intensité : Clavel avait perdu son brio dans son cœur et dans son âme. Une sorte de repos : l'amour fatigue les yeux et la tête, c'est bien connu. Intermittences du cœur : elle se l'était dit en fermant les yeux. Difficultés temporaires : mauvaise réception. Elle avait ouvert les yeux. Non : mauvaise émission. C'est Clavel qui était en faute, pas elle.

Ginette était paresseuse. Elle n'aimait pas les reportages d'actualité. Mais la curiosité était forte. Elle avait voulu se faire résumer la chose. « Le rédacteur en chef a coupé, de son propre chef, la fin de l'article de Clavel. Le lendemain, il a dû réparer son erreur sous la menace de Clavel. » Marielle avait retrouvé son amour et ses couleurs : elle mangeait avec appétit sa lasagne verte. « Le rédacteur en chef est jaloux de Clavel. Il s'est arrangé pour rire un peu. Au lieu de simplement publier la fin de l'article en s'excusant, il a mis le paragraphe en question en plein milieu de la première page, en gros caractères et entre guillemets. »

Ginette avait aperçu Clavel une fois. Il était passé en coup de vent devant son bureau. « Des yeux à vouloir se faire navigatrice. » Marielle avait été en retard, ce matin-là, elle : malchanceuse. Le reste de la journée, Marielle s'était frappé le front de regret, comme si le regret pouvait avoir un effet quelconque. Des yeux à vouloir se faire navigatrice ! La mer devenait émeraude, avait des reflets mauves et noirs au crépuscule : elle avait retrouvé son amour coloré. Rien à voir avec le mariage, le divorce ou quoi que ce soit de réel et d'encombrant. Clavel, c'était la fantaisie. Elle avait grimacé : le téléphone sonnait sans arrêt. Non, pas la fantaisie. Elle cherchait un mot plus juste. Clavel, c'était l'envergure d'une grande aile. Une aile ! Ça vole mal, une seule aile, même si elle est grande.

Le rédacteur en chef était revenu hors de lui de la réunion d'urgence du Conseil d'administration. Déjà, avant cet accident, il en voulait à Clavel. Clavel défendait qu'on lui corrige même ses fautes d'orthographe. L'intouchable Clavel ! Si ses principales perdaient leurs verbes, séparés par de trop nombreuses subordonnées, les lecteurs devaient s'arranger pour inventer eux-mêmes les verbes manquants. Le rédacteur en chef s'était dit qu'il s'en lavait les mains, mais la vérité était autre. Il sentait des démangeaisons quand il recevait le texte de Clavel. Pouvoir jouer dans ces mots-là, dans ces phrases-là. Pouvoir corriger le reportage ! Pouvoir le mettre à sa main ! À la moindre virgule déplacée, Clavel faisait des menaces pleines de vent. « Marin, vous ne devez pas toucher à mon texte. Pas une virgule. »

Clavel était devenu une vache sacrée. Marin se mit à n'utiliser que ce surnom pour le désigner. Quand le texte de la vache sacrée entrait dans l'édifice, on se fendait en quinze mille pour le laisser passer. Devant tout le monde : évidemment.

Des phrases instantanées : c'était tout ce que c'était. Clavel, c'était un photographe automatique. Une phrase : une photo précise et concise et quoi encore. Sauf la fin. Marin avait frissonné de jalousie. Quand il avait coupé la fin romantique, il avait eu vraiment l'impression de se réserver le meilleur pour lui tout seul. La licorne avait perdu sa corne. La nuit qui avait suivi la coupure, il avait dormi avec le paragraphe au cœur, le paragraphe en tête.

La compagne de Marin, exilée volontaire dans un chalet des Laurentides, avait, elle aussi, cherché la cause de la curieuse turbulence qu'avaient provoquée ces quelques phrases mises en exergue en première page. Peut-être le simple fait de les avoir mises en exergue. Placées autrement, elles n'auraient peut-être pas eu cet impact. Séparées du texte lui-même en plus. N'importe quelle niaiserie, si on la met là, au milieu de la première page, en caractère gras, pourrait prendre des proportions extravagantes.

Tous les mercredis, elle rejoignait Marin au club de tennis. Des amis d'enfance qui s'étaient perdus et retrouvés toute leur vie, comme de vrais petits poucets. Marie-Isabelle et Ferdinand. Coïncidence des noms dans l'histoire universelle.

Parler de Clavel, avant la partie, c'était la perdre. Marie-Isabelle le savait. Mais c'était aussi se préparer une joyeuse envolée sexuelle. Mieux qu'une incursion en planeur dans les hautes sphères. L'air raréfié, l'altitude vertigineuse. Elle avait toute la semaine pour polir ses figures de style. Perdre la partie de tennis mais gagner le vertige qui suivra. Une partie de qui-perd-gagne.

Rien que trois phrases ! Clavel était incroyable. Cette façon qu'il avait de parler de la primauté du spirituel, comme s'il était le premier à utiliser l'expression. Cette façon qu'il avait de dire que cette primauté était abolie, comme était aboli le déterminisme de la physique. Cet art qu'il avait de prendre la culture mondiale comme champ. Comme terrain de jeu, oui. Clavel n'était qu'un sadique. Un ogre. Prêt à manger tous les petits poucets, tous les innocents. Même les coupables : loin d'être une fine gueule.

Marin n'arrivait pas à se laver l'esprit de Clavel. Ruminant ! Vache sacrée ! Marin avait senti la jalousie envahir toute la région du cœur et Marie-Isabelle aurait voulu tracer de son index mouillé la carte du tendre. La partie languissait faute de joueurs attentifs. La finir au plus vite. Mais Fernandino, Dino, continuait d'avoir cette douleur exquise dans la région du cœur. Tous les signaux pointaient là. Il jouait mollement, laissait Marie-Isabelle remporter tous ses services. S'il avait pu admettre cette jalousie, simplement l'admettre. Une envie lui était venue de se venger sur elle : elle de l'autre côté du filet.

Elle qui ne se gênait même pas pour admirer Clavel devant lui : comme si elle n'était pas au courant de sa haine pour le style exécrable de ce photographe ruminant. Mais se venger sur elle, en plus d'être injuste pour elle, serait encore plus injuste pour lui.

Consciente de cette douleur exquise qu'il avait, elle s'était plainte d'un point à l'aine. Heureusement qu'elle avait déjà été opérée pour l'appendicite : elle faisait semblant de se prendre au sérieux. Lui aussi. Vivre dangereusement : elle avait elle aussi une sorte de système de référence. Plus ou moins efficace selon les jours, les heures, les urgences. Quand elle sentait la fatigue l'envahir, elle disait : vivre dangereusement, une dizaine de fois. Ça marchait ou ça ne marchait pas. Elle avait son carnet caché dans un petit tiroir secret. Elle se disait qu'elle écrivait ses pensées de Pascal. C'étaient des gouttes longuement distillées, longtemps expérimentées sur le terrain de la vie. De quoi vivre puisqu'il faut vivre. Il lui arrivait de se dire qu'elle n'était qu'un sac à main pour la vie : la vie courante, la vie évoluante.

Quand le mercredi arrivait, elle aurait voulu être autre chose qu'un sac de peau plus ou moins utile. Ses rendez-vous avec Dino la comblaient une fois sur deux, mais ce n'était pas une alternance sûre. Elle avait fait ses statistiques un soir, et s'était sentie encore plus inutile dans ce grand chalet qu'elle habitait en solitaire. Vivre dangereusement n'était pas écrit tel quel dans son carnet jaune. C'était plus personnel. Sorte de fruits de son expérience d'ermite.

Pourquoi avait-elle décidé de vivre en recluse ? Une seule sortie par une semaine. Elle n'en savait rien. Elle faisait du quiétisme. Elle avait voulu oublier la volonté de puissance qu'elle avait sentie pointer sous sa vie. Jusqu'à déchirer le sac de peau. Elle avait renoncé pour toujours à la volonté de puissance. Elle serait le calme, la sérénité au cœur d'un monde exacerbé. Marin passait son temps en ville, lui : à peine logé dans un pied-à-terre banal. Qu'est-ce qui l'attirait, lui, dans cette relation coûteuse ? Cette relation sans rime ni raison. Il n'en savait probablement rien, lui non plus.

On lui livrait le journal à la porte du chalet tous les jours. Les reportages de Clavel lui donnaient une sorte de fièvre qu'elle bénissait malgré tous ses désirs de calme et de sérénité : son vaccin.

Elle sentait le besoin d'être vacc.née régulièrement. La fièvre du monde. Sorte de possession du monde à l'état de trace infiltrée dans l'organisme. La passion du monde ne mourait pas en elle, malgré tout le calme des Laurentides. Elle était abonnée à plusieurs revues dans lesquelles Clavel écrivait. Elle se cachait de recevoir tout ça. Quand Marin s'en venait, elle les faisait disparaître de la vue. Selon le lieu où s'inscrivait la pensée de Clavel, elle se faisait plus ou moins technique, plus ou moins élaborée. Elle en venait à se dire que les catastrophes du monde ne seraient rien, n'existeraient pas sans Clavel. Elle lisait sous d'autres signatures des nouvelles ahurissantes, épouvantables. Elle n'arrivait pas à avoir une idée vraie de ce qui était arrivé. Aucune

émotion : même quand les pires calamités étaient dé-
crites. Elle se pinçait : rien !

Clavel, lui, offrait le monde avec ses catastrophes
naturelles, ses dictatures branlantes, ses tentatives
d'assassinats, ses complots, ses machinations. Avec sa
force évolutive aussi : sa dynamique de destruction
certaine.

Le reportage sur la prise de pouvoir dans ce petit
pays d'Amérique latine avait produit chez elle un effet
inattendu. Comme un faux. Tout à fait comme le
reportage ordinaire d'un journaliste ordinaire. Elle s'était
dit que c'était un abus de confiance : quelqu'un d'autre
avait écrit l'article. C'était une expérience sur le vif. Un
moment, elle avait même soupçonné Marin d'avoir
subtilisé l'article de Clavel et d'en avoir inséré un autre
à la place. Un imitateur. Personne ne s'y laisserait
tromper.

La montagne était là, derrière le chalet. Quand elle
était trop émue pour être sereine, elle marchait. Jusqu'à
l'épuisement. Elle avait attendu la suite. Comme si une
suite devait nécessairement venir. Un faux ne pouvait
pas passer inaperçu. Elle avait craint pour Marin. Marin
avait très bien pu tricher. Il haïssait Clavel comme on
peut haïr un rival.

Après un grand bain, une nuit profonde, elle s'était
éveillée, rassérénée. Complètement. Elle disait : tant
pis. Elle disait : Clavel a manqué son coup, c'est normal,
une fois de temps en temps. Elle avait refait la paix
partout, dans la maison et en elle.

Quand le journal lui avait apporté le texte en exergue,
elle avait pleuré de volupté sans savoir pourquoi.

Marin n'avait pas la vie drôle au journal : Marie-
Isabelle le savait. Elle parlait de Clavel le moins possible,
mais il l'avait dans la peau. Il sentait sa présence

partout. Il reniflait son odeur jusque dans leur lit. C'étaient des heures sans joie, sans gloire surtout. Clavel, c'était l'autre : celui qui couvre le monde entier. Toujours fourré aux points chauds, aux lieux de production de l'histoire. Toujours là aux bons moments. À croire qu'il provoquait tout ça lui-même pour être bien sûr de ne rien manquer d'important. Cette idée travaillait dans la tête de Marin depuis déjà quelque temps. Coïncidences mon œil ! C'est ce qu'il se laissait aller à dire tout bas : la vulgarité dans tous les traits, dans tous les gestes. À ne pas se reconnaître. Par hasard, Simon Clavel était là quand on a tiré sur le président de la République de bananes. On change de régime, il est là : toujours au premier rang. Ça se prépare, ça. Il faut que Clavel ait l'oreille des puissances des ténèbres. Ça se paie, ça.

Marin n'avait pas ouvert la bouche en revenant du tennis. Marie-Isabelle non plus. Elle pensait à Clavel. Quand Marin avait conclu ce long silence en parlant de l'oreille des ténèbres, à propos de presque rien, Marie-Isabelle l'avait approuvé pour le calmer. Tout se paie ici-bas. Elle se l'était dit, elle aussi.

46

PROCÈS, CONDAMNATION ET ÉVASION DE JOSEPH GAILLARD

Le procès du Haïtien Joseph Gaillard, accusé du meurtre de trois de ses congénères, avait été très court. Judith Bataille, la femme en jaune, était venue témoigner. Elle disait avoir entendu Joseph Gaillard parler avec un interlocuteur invisible. Tout, d'après elle, avait été planifié dans les moindres détails. Elle avait tout entendu. Pourquoi n'avait-elle pas prévenu les autorités ? Elle les avait pris pour des cinéastes en train de discuter d'un scénario. Surtout que les noms ne faisaient pas vrais : Albert d'Angoulême, Pierre Alexandre, Hannibal Le Croissant. Le rire gras de cette femme au passé louche discréditait à mesure tout ce qu'elle disait. Curieusement, Joseph Gaillard, après ce témoignage, avait décidé de plaider coupable. Il s'était mis à tout avouer. Il avait crié : coupable. Sans en parler à son avocat.

Le plus surpris avait été le procureur de la couronne. Il n'avait presque rien contre Joseph Gaillard. Rien que le témoignage de Judith Bataille et il était loin d'emporter l'adhésion.

Le juge n'avait pas compris, lui non plus. Joseph Gaillard s'était mis à parler avec une voix qui ne ressemblait pas à la sienne. L'émotion peut changer la voix, mais pas à ce point-là. Quelque chose de sourd dans le timbre : de la peur ou autre chose. Il aurait pu être téléguidé. Ce qui sortait de sa gorge avait un débit forcé, bousculé. Ceux qui étaient présents en cour avaient senti comme un arrachement au niveau des cordes vocales. Un besoin physique les avait pris de protester, de lutter contre cette culpabilité imposée de l'extérieur. C'est bien ce que le juge et le procureur avaient ressenti : une révolte contre une présence envahissante. Judith Bataille avait osé rire en entendant le cri de Joseph : coupable.

Il avait été condamné à vingt-cinq ans de réclusion : le jury avait fini par accepter les aveux. Trois jours plus tard, il s'évadait.

Joseph Gaillard s'était évadé entièrement ! Les enquêteurs dans cette affaire d'évasion avaient eu des phrases inacceptables. Il se serait dématérialisé pour aller se rematérialiser à l'extérieur de la prison : impossible autrement. Les enquêteurs qui avaient dit ça avaient eu des yeux plus que rêveurs : une sorte d'admiration béate ressortait de tout ce qu'ils continuaient de dire. Une incrédulité totale de la part de tous ceux qui entendaient parler de la chose. Les journalistes n'avaient eu qu'à répéter tels quels les mots des enquêteurs pour plonger toute la population de Montréal et du Québec dans un grand éclat de rire. Personne n'avait cru à la culpabilité de Joseph Gaillard : ce petit Haïtien nerveux, doux et humble à l'accent rond et enfantin. Aucune trace de lui nulle part. Judith Bataille était, paraît-il, partie en voyage et sa servante aussi. Quand, au procès, on avait demandé à cette Judith pourquoi l'autre n'avait rien entendu des propos en question, elle avait répondu que la naine souffrait de distractions chroniques. Qu'est-ce qui était vrai dans tout ça ? Pas grand-chose.

47

LA PASSION DÉSINTÉGRÉE DU DIRECTEUR DESRUISSEAUX

Quelques jours avant la dématérialisation de Joseph Gaillard, les journaux avaient publié un entrefilet surprenant : Simon Clavel était parti pour une destination inconnue et le directeur du journal attendait impatiemment ses reportages.

Les lecteurs se reposeraient de lui.

Mais les jours passaient et le directeur n'avait pas le cœur net. Ferdinand Marin, lui, ne cachait même pas sa joie. Il exultait. Il avait même suggéré, comme ça, de le rayer de la liste des reporters. Pourquoi Clavel aurait-il le droit de disparaître comme ça de la circulation sans laisser d'adresse ? Ça faisait un sérieux trou dans la mise en page et les lecteurs commençaient à se plaindre. Marin avait dit ça, sans appuyer, au directeur Desruisseaux.

Au fond, ce dont les lecteurs se plaignaient, ce n'était pas de l'absence de Clavel, mais de l'absence d'un reportage de valeur. Marin était allé jusqu'à proposer de remplacer Clavel. Comme ça : un geste définitif avait accompagné l'expression.

Le directeur Desruisseaux savait l'emprise de Clavel sur le public. Remplir le trou avec de la nouvelle banale, ce n'était pas grave. Le trou restait là et les lecteurs le savaient. Ça leur permettait de se reposer, de s'ennuyer en paix. Mais remplacer Clavel, oser mettre là le reportage de quelque prétentieux, c'était amonceler des épées de Damoclès au-dessus de sa tête.

Encore cette morsure douloureuse à l'intérieur des joues. Trop de café. Trop de bon café. La lettre de Charles Riverin sur son bureau tirait l'œil : une lettre de moine enlumineur. Charles conseillait à son beau-frère de reprendre d'anciens reportages de Clavel en attendant qu'il refasse surface. Pour lui, tel qu'il connaissait cet aventurier, Clavel s'était rendu au cœur de l'action avant même que l'action se déclare. L'action tardait, tout simplement. Il fallait attendre.

Constant Desruisseaux avait un peu tiqué en lisant ça. Comme si l'action se déclarait ! Charles avait des façons de dire qui lui ressemblaient. Comme si Clavel pouvait être averti à l'avance par des puissances occultes. Encore un café. Pour ressentir encore ce bien-être incomparable qui suivait. Quitte à se prendre les dents dans un bourrelet douloureux ensuite.

Drôle de suggestion. Comme si d'anciens reportages pouvaient présenter une valeur actuelle. On se rendrait peut-être compte de toutes sortes de choses. Clavel n'avait peut-être pas la vue si perçante, la vision si aiguë qu'on le pensait.

Loin de lui l'idée de prendre Clavel en flagrant délit de manque de jugement ou quoi que ce soit du genre. La jalousie de Marin lui avait toujours paru grotesque. Mais l'espèce de couronne solaire que portait Clavel lui avait souvent paru trop brillante. Il aurait plutôt vu son

halo comme une lumière empruntée, et l'idée de s'inscrire dans la gloire en traitant de catastrophes, de
malheurs, de guerres de toutes sortes, le révoltait. Les
reportages devraient tous être anonymes.

Clavel devait valoir une fortune. L'idée l'avait frappé
au moment où il se mordait l'intérieur des joues. Jamais
La Nouvelle Presse n'avait réussi à lui faire signer un
contrat exclusif. Il pigeait de l'argent partout dans le
monde.

Ce n'était pas de la jalousie que le directeur avait
pour Clavel : de la haine, pure et franche. Il fallait que
cet homme-là soit chanceux. Il fallait qu'une chance le
suive ou le précède. Il était toujours là au bon moment.
Même ses mauvais pas, ses malchances finissaient par
tourner à son avantage. Il a fait des reportages fabuleux
au fond de toutes sortes de prisons. Si le train qu'il
prenait déraillait, il en profitait de quelque façon.

Marin a peut-être raison de l'appeler l'Ogre. Une
avidité à couper l'appétit. Les lecteurs le lisent pourtant :
avec avidité, eux aussi. Il a de l'estomac : on peut au
moins dire ça. Quand son avion était tombé dans les
Rocheuses, il avait mangé de la viande crue, de l'herbe,
des feuilles, des aiguilles de pins et même de la terre. Un
reportage avait suivi : L'homme qui mange de la terre.
Un genre de retour aux sources. À faire pleurer !

L'idée de son beau-frère Charles Riverin commençait
à lui faire de l'œil. Ça lui faisait de l'œil. Pourquoi le
répéter ? Pour savoir pourquoi il ressentait ce qu'il
ressentait en le disant. Pourquoi pas ? Pourquoi pas les
reportages parus lors de l'exposition universelle : une
récapitulation.

Pas jaloux, non : nostalgique et haineux seulement.

Parce que le rêve de Constant Desruisseaux n'avait
jamais été d'être directeur du journal *La Nouvelle Presse*.

Ni de se mordre à cœur de jour les bourrelets douloureux à l'intérieur des joues. Non. Être Clavel ! Toujours lui ! On ne devrait pas avoir de passion pour une chose qu'on n'est pas capable de faire. Une passion en creux. Il en écrivait des reportages lui aussi. Il s'en cachait. Depuis le jour sans gloire où il avait parlé contre un héros national, il se cachait de continuer à écrire des reportages. Il avait dit ce qu'il n'aurait pas fallu dire : comme ça, pour rien. Par besoin d'être un grand justicier, un Jos Connaissant. Une terrible levée de boucliers. Le directeur du temps l'avait fait venir.

Encore un café. Ne plus repenser à cette infamie. La méfiance s'était installée à demeure. Il avait continué d'écrire des reportages pour lui tout seul. En secret. Son poste de directeur ne l'avait jamais comblé. Jamais. Ses reportages à lui, signés Clavel, feraient sensation. Comme les toiles de sa femme Élisabeth feraient sensation si elles étaient signées Picasso. Sa chère Élisabeth : elle ne réussissait pas à vendre ses toiles. De belles toiles pourtant.

La lettre de Charles venait de Provence. Chanceux ! Pouvoir recommencer sa vie en sachant certaines choses. Ne pas refaire les mêmes erreurs. Pouvoir prouver au monde entier qu'on n'a pas une passion comme la sienne sans avoir un talent intégré. Le talent ! Cette partie intégrante de la passion. Un autre café.

Il avait condamné sa porte. Bernadette, de l'autre côté de la porte en question, s'arrachait les cheveux. Non, le patron n'était pas là. Ils insistaient tous pour parler au patron. Ils devaient deviner qu'il était là. Qu'elle s'arrange ! Desruisseaux s'en va se jeter à la mer. Depuis le temps qu'il lit Clavel... Durant les vacances, Élisabeth avait signé Picasso au bas d'une immense toile bleue, jaune, et noire. Une magnificence. Comme ça : pour voir ce que ça donnerait.

Un reportage sur le procès du Haïtien Joseph Gaillard. Lui, Clavel, avait certainement joué un rôle dans cette affaire. Un rôle dont personne n'avait parlé. Il était là, Clavel, lors de l'assassinat. Il aurait dû être tué, lui aussi : comme les autres. Il avait tiré son épingle du jeu, lui. Il était indemne, lui. Dieu reconnaît les siens, oui. D'autres aussi peuvent en faire autant.

Le directeur était comme emporté par son sujet. Pourquoi n'était-il pas mort, lui aussi ?

Bernadette avait osé ouvrir la porte. Il avait pris les feuilles en face de lui et les avait glissées en douce dans son tiroir. En vingt minutes, il avait pris toutes les décisions à prendre. Bernadette avait voulu ratiociner, protester à certaines de ces décisions. Peine perdue. Il avait à faire. Une chose urgente qui lui faisait même oublier la douleur des dents qui entraient profondément dans le bourrelet intérieur.

Ces Haïtiens n'avaient pas d'ennemis connus. On ne leur connaissait que des amis. Mais lui Clavel : il avait des ennemis par milliers, peut-être par millions. Non. Raturer tout ça. Le café faisait son œuvre. La tension lui donnait des crampes aiguës dans tout le visage. Lui, Clavel, avait eu des relations avec l'Organisation pour la libération d'Haïti. Il leur avait envoyé de nombreuses études fouillées sur la situation du pays. Des études serrées, rigoureuses. En vacances à Percé, il avait reçu une lettre pressante lui demandant de venir à Montréal au plus vite. Il était accouru, oubliant toute idée de repos. On avait besoin de ses lumières. Il ne pouvait pas s'esquiver. Aucune excuse ne lui aurait paru valable. Il connaissait la situation mieux que personne. À cause de sa grande expérience. À cause de ce sens de précision qu'il avait. Ce sens était une sorte de caractère acquis, désormais intégré. Il connaissait la question à fond et à forme. Là, Desruisseaux avait souri. C'est surtout de connaître une question à forme qui est rare. Plusieurs peuvent la connaître à fond. Seuls quelques-uns sont capables de la connaître dans sa forme.

Clavel était venu à Montréal, même si la route était noyée dans la brume du bord du fleuve. Clavel s'était dépêché, poussé par un instinct... Desruisseaux avait écrit : de mort, mais l'avait tout de suite raturé. Par quel instinct Clavel pouvait-il être poussé ? Son instinct de fouine internationale, son instinct de perroquet mondial, son instinct d'aventurier des grands chemins aériens. Le directeur écrivait contre lui-même. Il raturait tout ça, mais légèrement. Il ressentait, à écrire comme Clavel, un tiraillement terrible. Certains mots surtout l'auraient paralysé. Il raturait avec de plus en plus de réticences les expressions mauvaises qui lui venaient sous la plume.

Clavel s'était donc rendu au journal haïtien pour les aider, pour les éclairer. Desruisseaux se retenait, se gardait à l'œil. Pas question de se mettre en danger. Il avait senti qu'on le suivait. Malgré tous les détours, toutes les ruses préventives, on l'avait suivi. Il avait pourtant cru s'être débarrassé de la filature.

Desruisseaux se rendait compte de tout ce qu'il écrivait entre les lignes. Pas trop en dire. Ne pas trop en mettre. Clavel est brillant. Il sait dessiner. Pas de gaucherie. Que ça reste plausible.

Son Clavel en était là, à rapporter l'entretien qu'il avait eu avec les trois Haïtiens en question. L'urgence était en eux surtout. C'est ce qu'il était en train d'écrire. Clavel avait su en appeler à un jugement, à une patience éprouvée. Gandhi leur était apparu : figure squelettique qui, toutes les nuits, avait éprouvé sa chasteté en couchant au milieu de très belles femmes. Desruisseaux n'avait pas raturé. C'était ce qui faisait le style reconnaissable de Clavel, ces sorties du sujet. Ces sorties inconsidérées, ces annotations marginales, ces images inessentielles, ces dissonances constantes. Il employait tout ça avec une sorte de bonheur. Non : il employait tout ça avec une sorte de malheur. Avec lui, avec Clavel, la vie débordait l'histoire qu'il racontait, le reportage en direct qu'il avait toujours l'air d'écrire. On savait ce qu'il disait, mais on savait aussi ce qu'il ne disait pas vraiment. On se mettait à savoir ce qu'il ne voulait pas dire. Une sorte d'écho, d'arrière-pensée ou de pensée-avant-première. Desruisseaux avait toujours eu la sensation presque physique, presque douloureuse, d'une prophétie intégrée dans le reportage. Ce n'est plus ce qui s'était passé qu'on savait, c'était bien plus ce qui allait se passer : l'événement imminent.

Clavel était sorti avec les Haïtiens à la fin de l'entrevue. Il les avait accompagnés jusqu'à la mort pour ainsi dire. Desruisseaux s'était retenu d'écrire : menés à la mort.

Clavel reviendra sûrement. Il saura que ce reportage n'est pas de lui. Tout le monde le saura. La honte ravivée. Le désespoir qui avait suivi sa calomnie d'autrefois lui était redonné dans toute son acuité.

Encore un café. Et un feu de poubelle.

Les feuilles de son faux Clavel déchirées, mises en boules molles, brûlaient en hauteur. Il ressentait un bien-être comme il n'en avait plus connu depuis des siècles. Un plaisir de vivre, d'avoir un bras au soleil, l'autre à la chaleur du feu de reportage. Un rire qui lui venait de son centre de gravité, quelque part sous le nombril. Sauvage ! On est des sauvages, au fond. Et pas rien que dans le fond, dans la forme aussi.

Un feu de passion en-allée. Enfin la paix. Une sorte de tendresse pour Clavel. Pour l'Ogre au fond des bois. Une inquiétude aussi. Où pouvait-il être ?

L'idée de Charles était la meilleure. Ce serait pour le moins drôle de montrer aux gens ce qu'ils lisaient avec tant de plaisir, tant de hantise au printemps de 1967.

Il pourrait, comme directeur du journal, écrire un petit paragraphe pour présenter un certain choix de reportages. Son choix à lui. Finie la haine et la nostalgie. Ce n'est pas drôle d'être dans la peau de Clavel. Le directeur avait l'impression d'avoir connu une expérience éprouvante. Libératrice, mais éprouvante.

En ouvrant la fenêtre pour faire partir l'odeur de papier brûlé, il avait reçu une poussière dans l'œil. Ou bien c'était de la cendre de reportage.

Charles Riverin devait revenir passer une semaine en décembre. Desruisseaux se promettait d'en rire un coup avec son beau-frère. Ils s'étaient toujours bien entendus tous les deux : ils se complétaient l'un l'autre. Ils s'étaient toujours fait des confidences : histoire de se bâtir une sagesse à deux.

48

GRÉEZ-VOUS D'UNE
QUINZAINE DE CLONES

Mélusine a travaillé toute la nuit. Cent gravures : le monstre à la gueule de travers. Elle lui a cherché un nom : en vain. Ce n'est pas le trait rouge qui ressort. Quand elle avait décidé de tourner sa géométrie manquée en monstre à la gueule de travers, elle pensait bien que ce trait rouge aurait la prépondérance.

Quand les gravures étaient venues, les unes après les autres, quand les couleurs s'étaient ajoutées aux couleurs, elle avait senti un regard, plus que toute autre chose. Plus qu'une gueule. Quelque chose de bleu-noir. Une sensation terrifiante de vision braquée sur elle.

Ne pas dormir, ne pas manger et mourir de peur. Les gravures sèchent, étendues à plat partout. Se dire qu'elle est fatiguée ne rompt pas le charme. Se dire qu'elle a une lune de monstres, comme Léonard de Vinci en a eu une dans son enfance, ne la rassure pas. À son âge, c'est plus grave. Ne plus arriver à penser : géométrie. Sa période géométrique est peut-être finie.

Après les monstres viendra une autre lune. Des lignes, rien que des lignes. En avoir des visions, comme si Bouhou allait revenir. Vendu tous les Bouhous.

Avoir essayé de ravoir le grand. Raymond veut le garder encore un peu. Ce qui est prêté est prêté, Mélusine !

Se dire qu'on a les moyens de production à portée de la main. Se faire un autre Bouhou ! D'abord manger, dormir et sortir. Rejoindre Lassonde. Le sortir du dossier Riverin. La ligne toujours occupée. Dormir un peu sur la chaise longue dans la cuisine. Avoir le soleil d'octobre sur le visage. Rêver d'avions dans le ciel. Rien que des avions. Rien d'autre. Le ciel vidé de tout le reste. Se dire à haute voix : c'est une lune d'avions qui commence et se réveiller en sueurs. Midi.

Se sentir impuissante malgré tous ses moyens de production de monstres. Pourquoi toujours avoir une pensée double ? Se sentir puissante et impuissante en même temps. Être libre immensément et en même temps entravée. Empêtrée dans un filet, une cotte de maille, et avoir pourtant opéré sa libération.

Pensées glissantes : parallèles, collantes. Connivence, complicité de tous les mots. Ne plus pouvoir penser liberté sans penser entrave. Jumelage exécré. Briser tout ça, briser ce pairage.

Refuser tous les clichés. Impossible. Prendre sa tablette de dessin et aller faire des scènes de rues. Telles quelles. Sans penser. Se fier à sa virtuosité. Pourquoi ne pas apporter sa caméra et prendre des instantanés. Ou sa ciné et tourner du mouvement. Faire de la dynamique. Du mouvement lent, du mouvement accéléré : des secondes qui durent, d'autres qui ne durent pas.

Mélusine est découragée.

Se sentir abandonnée en ce jour d'octobre. Des odeurs fortes partout, à cause des gravures qui sèchent :

le monstre sans nom. Pourquoi pas Dracula ? Avec la gueule de travers qu'il a, plus rousse que rouge, ça pourrait lui faire un nom. Non, pas Dracula. Pas Dracula mais quand même une sorte de vampire.

Entrer dans l'atelier où sèchent les clones. Des clones ! L'appeler Clone, tout simplement. Comme ça, sans retouche. Achetez un clone ! Regardez le beau clone, regardez les beaux clones. Prenez-en plusieurs. Mettez-les ici et là chez vous. Vous verrez qu'il se bâtira un réseau d'optimisme. L'effet est multiplié. Achetez-en cinq ou six. Effet en chaîne garanti. Vous voulez des émotions fortes ? Achetez-en dix. Presque pareils et c'est le presque qui est important : essentiel. Guérissez l'ennui, la frustration, l'impuissance, la certitude d'abandon. Gréez-vous d'une quinzaine de clones.

Retrouvez vos principes en ce monde. Quand tout est critiquable, quand tout peut être attaqué, détruit en deux coups de langue, retrouvez un environnement solide : achetez-vous une quinzaine de clones : points de repère imprenables en ce monde de mouvance excessive et d'éclatements automatiques. Enfin la sécurité d'un univers amarré.

Mélusine essaie encore de rejoindre Lassonde. La ligne est toujours occupée. À qui peut-il bien parler ? Il a trouvé à qui parler. La tonalité agaçante.

Aller vendre ses clones. Saturer la ville. Poser ces aiguilles. Réussir une acuponcture.

La ligne toujours occupée.

Mélusine renonce à tout. La solitude inavouable. En cette fin de siècle, ne plus savoir où trouver son véritable ennemi. Et pourtant il est là : partout. Le sentir sur la tête. Se savoir vue de partout par un ennemi incommensurable.

Mélusine réagit. Manger, sortir. Aller dessiner des scènes de rues. Tâcher de voir mieux. Prendre l'ennemi de vitesse. Sur son propre terrain. Voir autre chose pendant qu'il en est temps encore.

49

COMMENT CROIRE À L'INCROYANCE

Riverin avait fait un saut à Montréal. Quelqu'un à voir. Avant de repartir pour l'Europe, il avait invité Lassonde à venir déjeuner avec lui à *La Saulaie.*

Il avait un rendez-vous urgent au milieu de l'après-midi. Il l'avait répété plusieurs fois, sans s'en rendre trop compte.

« On se dit que c'est une question de vie ou de mort. Qu'il faut prendre l'avion. On finit par se dire que l'Europe est proche du Québec. »

« Il s'agit du dossier ? »

« C'est la nièce de Clavel. On dirait qu'elle soupçonne son oncle d'activités secrètes. Journaliste de pointe, c'est une bonne couverture. »

« Il serait membre d'une organisation étrangère ? »

« Elle n'en sait rien. C'est un soupçon injustifié. Il s'est pris d'affection pour elle et se serait laissé aller à divaguer sur son divan. »

« C'est une vedette ? »

« Elle se dit vedette. C'est bien différent. Une voix de chambre à coucher et des chansons pleines d'âme. Clavel était souvent chez elle, quand il était à Montréal. »

« Le repos du guerrier ? »

« Le repos de l'errant. C'est un errant. Sa nièce ne l'appelle pas autrement. Rien d'immoral entre eux. De l'amoralité : la nouvelle bravoure de ce brave nouveau monde. »

Riverin avait une parole proche parente de son écriture. De temps en temps, on aurait juré qu'il continuait de faire des fions, d'enluminer ses mots.

« Elle t'a vraiment téléphoné en Europe pour te dire ça ? Un soupçon aussi vague ? »

« On ne sait pas pourquoi les gens agissent. Pourquoi as-tu accepté de faire cette enquête, Lassonde ? Et moi ? Douze ans que je monte le dossier que je t'ai confié. Douze ans ! On ne sait pas pourquoi. Au téléphone, elle m'a dit que son oncle pourrait bien être en danger. Elle l'aurait su de façon indirecte. »

« Pourquoi toi ? Elle est au courant de tes recherches ? »

« C'est elle qui m'a procuré une copie du journal de son oncle. D'autres pièces importantes aussi. Elle m'a avoué avoir détecté quelque chose d'extraordinaire dans tout ça : quelque chose de terrible. »

« Tu t'attends à quoi, Charles ? »

« CIA et KGB. Clavel a disparu de la circulation complètement. Il se serait mis tout le monde à dos. C'est quelqu'un de spécial : Clavel. Par moments, je me dis qu'il n'a plus rien d'ordinaire. Ce besoin d'être toujours en voyage. Cette allure de héros qu'il prend de plus en plus. Ce n'est pas pour rien que tant de jeunes, tant de chômeurs se sont mis à errer comme des âmes en peine. »

« Clavel est un journaliste rigoureux. Comment peux-tu le rendre responsable de tous ceux qui se promènent sur la terre ? C'est un signe des temps : on se promène, on fait du tourisme. C'est une liberté de mouvement qu'on s'est mis à avoir. Comment peux-tu seulement penser une chose pareille ? Que Clavel puisse être responsable de ça ? »

« Il y a un effet Clavel. J'en sais quelque chose. Tu as lu ses reportages ? Le dossier est complet : ils sont tous là. Ça semble rigoureux si on ne s'arrête pas aux détails. Il y a des phrases explosives. La fin de ses articles surtout. D'autant plus dangereuses qu'on ne s'en rend pas compte tout de suite. Moi, je m'en suis rendu compte quand j'ai lu des reportages de Clavel en langue étrangère. Quand je savais à peine la langue, l'effet Clavel était foudroyant. On se sent induit, si on peut dire. On se sent affecté par une gravité d'une grande puissance. On se sent capté. Comme détourné de la voie normale. On se sent aligné. Je cherche à te dire ce dont je me rends à peine compte. Même dans une langue que je ne connaissais pas du tout, il m'a semblé ressentir l'effet Clavel quand même. Rien qu'à passer les yeux sur les mots, je l'ai senti. Les grandes sociétés secrètes ont dû en être informées. En montant le dossier, j'ai su que tout le monde avait Clavel à l'œil. Il déplace des ondes spécifiques. »

« La nièce parle, elle aussi, d'effet Clavel ? »

« Elle m'a dit qu'elle avait surpris des conversations chiffrées. »

« Elle savait les déchiffrer ? »

« Non, mais ils parlaient en langage chiffré. Ça suffit pour tirer des conclusions. »

« Ça ressemblait à quoi comme conversation ? Elle t'a donné une idée ? »

« Elle m'a dit que ça ressemblait à des poèmes. À des Kennings. Une sorte de concentré d'images, de métaphores. »

« Elle t'a décrit les interlocuteurs ? »

« Ceux qu'elle a vus avaient un macaron à la boutonnière. »

« Quelque chose d'écrit sur le macaron ? »

« Une double spirale. Rien d'écrit. »

« Ça me paraît impossible que la CIA et le KGB se promènent avec des macarons à la boutonnière. »

Mon fou rire avait provoqué chez Riverin une réaction imprévisible. Ça lui avait rappelé quelque chose. Il ne savait pas encore quoi au juste.

On avait pris l'apéritif dehors. L'été des Indiens dans toute sa splendeur. Chaleur hors saison, fleuve d'un gris presque blanc. Une étonnante absence de vent. Un arrêt. Comme avant une tempête. La tempête était dans l'air et pourtant on ne savait pas d'où pouvait venir cette certitude de vent à venir. Une prémonition venue des nerfs : de l'intérieur et non de l'extérieur.

Riverin avait fermé les yeux : le visage clos sur un vide qui lui tirait la peau ici et là. Des plaques plus pâles. Un homme usé avant l'âge. Il cherchait à se rappeler une lointaine image. Un son plutôt. Plus qu'un son. Un air. Qui avait ri de ce rire irrépressible ? Il ne s'agissait pas du rire du conseiller économique Marten, non. Un rire comme le mien : plus clair, plus rapide.

« Le garçon nous fait signe. C'est prêt. Viens, Charles. »

Il mangeait précieusement. Je le regardais enluminer ses moindres gestes. Ses moindres mots. Il me disait que son séjour en Europe commençait bien. Le calme était revenu en lui. La nuit, il rêvait encore du dossier, mais ses rêves étaient plutôt calmes.

C'est là qu'il m'a parlé de son beau-frère, Constant Desruisseaux, et de sa crise de haine. Je l'écoutais. Le faux reportage n'aura pas lieu. Charles Riverin ne riait pas du tout. Son sérieux m'étonnait de plus en plus.

« Ces gens-là provoquent des violences. »

« Clavel ? »

« Oui, Clavel. Clavel et ses pareils. »

« Les journalistes ? »

« Pas tous les journalistes. Ceux-là. Les aventuriers, les errants qui ont l'errance dans l'âme. Les journalistes au long cours. On peut aussi bien les retrouver au cœur du fameux complot contre Oliphant et de Gaulle. Lui, Clavel, on peut aussi bien le retrouver là, au cœur : le vrai responsable. »

« Le responsable de quoi au juste, Riverin ? Pas du complot monstre, puisque c'est Livernois qui a pris le brevet d'invention. »

« Le chef Livernois est un primaire qui n'a jamais rien inventé et n'inventera jamais rien. »

« Il ne faut jurer de rien, comme dit le fameux proverbe québécois. »

J'avais, avec mon fou rire, replongé Riverin dans sa passe sur l'inconnu. Angoisse inutile. Irréparable trou de mémoire. Vide attirant. Qui avait ri d'un rire irrépressible, de ce même rire irrépressible ?

« Que penses-tu de l'affaire, Lassonde ? Tu dois bien avoir une idée, à l'heure qu'il est. »

« Ils ne sont pas morts : ni Oliphant ni de Gaulle. Ce que je sais, Charles, c'est qu'à tout moment, il faut que je me le redise. »

« C'est la même chose pour moi. Il faut que je me le redise. Normalement, ils auraient dû mourir ensemble, durant la courte visite du général. Tout était prêt pour ça. Je le sens. La bombe avait été amorcée, bel et bien amorcée. »

« Qu'est-ce qui a pu se produire alors ? Puisqu'elle n'a pas explosé. »

« On ne sait pas. Justement. Que penses-tu de l'Œil ? Il existe d'après toi, ou c'est une pure invention verbale, une bombe mentale ? »

« Dis-moi une chose, Charles : fais-tu vraiment cette enquête pour ton propre compte ? »

Riverin avait toujours été facile à provoquer. Déjà, au collège, il était hypersensible et asthmatique.

« Il n'y a pas d'organisation, dans mon cas. Je suis bien seul, Lassonde. Maintenant, tu es là, avec moi, dans ma solitude. Tu partages le dossier avec moi. Je me dis que la vérité est là : dans le dossier. Quelque part dans le dossier. Et on est là à ne pas la voir. Si Oliphant et de Gaulle n'ont pas été assassinés, cette année-là, ce n'est pas le chef de police qu'il faut remercier : chose certaine. »

« Qui faut-il remercier ? Le clou du dossier, c'est cette question-là. L'amorce aurait pu être mal faite. Il faudrait remercier un agent négligent. »

« Non. Ces gens-là savent ce qu'ils font. L'amorce a été faite et bien faite. »

« La bombe aurait dû exploser ! »

« Tu connais peut-être l'histoire de la mère qui demande à ses deux filles de lui raccourcir sa robe de quinze centimètres ? »

« Elles commencent par refuser... »

« Oui. Elles commencent par refuser. S'en vont se coucher, mais sont réveillées par le remords : la première à une heure... »

Riverin buvait son café, calé dans un des fauteuils du salon de *La Saulaie*. Il me regardait, bien décidé à raconter son histoire jusqu'au bout. Il savait que je la savais et qu'il n'était pas pressé. »

« Le remords réveille la deuxième à quatre heures. À son lever, la mère s'aperçoit qu'elle a une mini-robe. »

« Rien ne va plus, fameux dicton québécois. »

« Tu as raison, Lassonde. Mon histoire cloche. Mais tu as compris où en était mon idée en quête de forme. Deux organisations ont touché à l'amorce avec la même intention. La deuxième a défait ce que l'autre avait fait. Peut-être. En te le disant, je sens que ça cloche encore. C'est autre chose. »

50

BRIND'AMOUR A ÉTÉ COUCHÉE DANS LE LIT DE LA RIVIÈRE DU NORD

Brind'Amour avait longtemps marché dans les broussailles. Des bois environnants sortait un bruissement qui lui disait quelque chose. Comme si elle l'avait entendu, non par les oreilles, mais par tout le corps. Par les jambes qui avaient tendance à dériver vers l'ombre entre les arbres. Un grand chasseur lui avait fait des signes de reconnaissance de loin. Elle en avait déduit qu'il lui disait de s'éloigner, mais après coup, elle s'était dit que c'était bien plutôt un appel de la main qu'il lui faisait. Un bruit strident à deux ou trois reprises, sans lui faire peur, l'avait fait s'arrêter sur place. Ce cri n'était ni humain ni animal ni végétal. Le mot minéral lui était venu.

Quand elle était arrivée sur le bord de la falaise, elle s'était émue de la beauté du monde : comme ça, perdue et trompée, elle s'était sentie heureuse d'un bonheur qui tenait de l'illumination et d'une sorte d'allégement. Comme si quelqu'un prenait à sa place le poids qu'elle avait sur le cœur. Elle avait été piquée violemment. C'est tout ce qu'elle avait eu le temps de savoir.

Elle avait repris conscience, couchée dans le lit de la rivière du Nord. En pleine nuit d'automne. Elle ne reconnaissait plus rien. La ligne de la montagne, visible sous les constellations, n'était pas la même. Elle avait dû être emportée par le courant. Le lit de la rivière était peu profond, plein de galets. Elle s'était dit qu'elle avait respiré un mélange d'air et d'eau. Une brûlure dans les bronches. À la racine du nez, un sifflement qui lui rappelait un bruissement de forêt. Le bruissement était entré à l'intérieur. Elle se l'était dit.

Des bruits de chute pas très loin. Quelques coups de reins énergiques et elle s'était sortie de ce lit de roche.

Son journal dramatise encore tout ça, si c'est possible.

51

ÉCHELLE MONDIALE, ÉCHELLE COSMIQUE. PAS AUJOURD'HUI

« Au ciel une pleine lune : presque rose. Des montagnes découpées au couteau. Froid jusqu'à l'âme. Jouissance extrême. Pas de vent, pas d'animaux, rien. Rien que ce sifflement dans le haut des poumons. La voie ferrée m'a conduite tout près du *Alpine*. Des noces qui duraient encore, à cette heure de la nuit. Mon argent, mes papiers dans mes poches : mouillés. Mes vêtements raidis par l'eau et la boue. Ils n'ont rien touché de ce que j'avais sur moi : ceux qui m'ont piquée sauvagement. Je n'ai rien su d'eux. Rien du tout.

Dans le miroir des toilettes, j'ai vu mon visage. Enflé, boursouflé. Méconnaissable. Je me regardais intensément, sans me reconnaître. Le frisson me prenait à intervalles de plus en plus réguliers. Comme si le désordre où j'étais tendait à prendre un rythme, une cadence. Une sorte d'amplification m'advenait et la fièvre montait. Je la sentais monter inexorablement.

Comment passer inaperçue ? Deux femmes sont
entrées dans la salle de repos en parlant beaucoup trop
fort. Une Monique énamourée qui avait l'intention de
laisser son lit du 69 impeccable. La clé de sa chambre
dépassait de la pochette de son sac à main. Une voleuse
expérimentée n'aurait pas mieux réussi.

Le 69 était près du bois. En cherchant un peu, je
l'avais trouvé. Une chambre immense. Un bain chaud
d'abord. Un grand lavage de tête, un grand lavage de
vêtements et je m'étais installée au lit. Du papier à
lettre dans le tiroir, un petit crayon à bille et j'avais tout
ce qu'il me fallait pour écrire mon aventure. J'écris, mais
je n'ai rien su de ce que j'ai voulu savoir. Si tout ça était
arrivé à Clavel ! Disons que Clavel a un reportage à
écrire. Il n'a rien vu, rien su, mais il faut qu'il écrive un
reportage de pointe. Clavel n'admet pas n'avoir rien vu,
rien su. Il a son passé à gauche, son futur devant. Il
s'agit de raccrocher les deux. À tout prix faire le joint.

À ma gauche, j'ai Clavel qui a disparu, devant moi, le
retour de Clavel. Son article est là en page éditoriale. Je
joins les mains. Je cherche à lire ce qu'il a écrit.

Le visage me bout et tous les os me font mal. Il
pourrait dire ça, Clavel. Comme ça. Ils l'ont enfermé
dans une cave immonde. Au froid. Il faut inventer.
D'abord inventer. Ensuite, on sent que l'aventure
commence. Il y a des modèles physiques qui corres-
pondent à la précognition. Si ces modèles physiques
existent, je les ai, inscrits là, en moi, aussi bien que
n'importe qui.

Il ne ressent pas de triomphe, rien que de la détresse
et de la fièvre. C'est lui en face de lui. Moi en face de
moi. Le monde parti. Tout le monde parti. Éclipsé. Seul,
seule. Respiration courte. Lui qui a une phrase de grand
large : moi qui n'ai que des vagues cassées.

Clavel aurait pu écrire en pleine page éditoriale qu'il n'a rien à dire. Tant d'événements internationaux qui sifflent sur la terre et il oserait, lui, écrire qu'il n'a rien à dire. Échelle mondiale, échelle cosmique : pas aujourd'hui. Aujourd'hui, il a un trou noir, Clavel : où la densité est si grande que ce n'est plus que corridor vers un autre monde. Il aurait pu écrire ça, lui, Clavel.

Je m'endors. La fièvre m'appesantit. Plusieurs rêves où les personnes sont comme décalées dans l'espace et le temps. Les vies ne sont plus parallèles. Se touchent, se confondent, se filtrent. Hyatt est là, plein les souvenirs de Clavel. Des repentirs partout dans le texte de ses articles. J'essaie de lire des écritures superposées. La curiosité comme une montée de pression dans la tête. Il n'a rien su, rien vu et pourtant il a écrit tout ça. Clavel est une machine à produire le réel. Le rire de Hyatt, rocailleux. Des roches partout dans le lit. Tu ris trop Hyatt. Donne-moi de tes nouvelles. Des voix dans le poignet. Des voix injectées. J'ai fait semblant de tomber endormie, de tomber droguée. Les voix me résonnent dans tout le bras, dans le cou, dans la nuque.

Mon rêve s'efface. Des pans entiers disparus. Mais les voix restent. Drôle d'expérience que j'ai faite tantôt : en me pressant le poignet, près du trou de l'aiguille, j'ai sursauté. Comme si le souvenir des voix était là : le poignet comme une commande à distance. La douleur courte mais aiguë. Comment savoir si ces voix ont été entendues en rêve ou non ? Me prendre par surprise. Me détendre, fermer les yeux et tout d'un coup me peser sur le poignet, juste sur le trou de l'aiguille. Juste sur la piqûre qu'ils m'ont faite près de la falaise.

J'ai entendu des conversations par le poignet : par l'oreille qu'ils m'ont percée dans le poignet. Recommencer l'expérience. J'ai entendu un chat ronronner. Les yeux me brûlent et j'ai comme des aiguilles dans la langue. Je n'ai pas tout oublié. J'ai su quelque chose. J'ai

peut-être tout entendu par cette troisième oreille.
Recommencer. J'ai entendu autre chose qu'un ronron-
nement. Me prendre vraiment par surprise. Une voix
connue près du chat. Pas Clavel. Son âme damnée. Qui
a dit ça ? Je n'ai pas entendu : âme damnée. Ne rien
inventer. Écouter.

Par moment Hyatt était tout près de moi. Au cœur
de la réalité. Il me vient des expressions que j'ai peut-
être entendues là. Là où ils m'avaient amenée. Le pouls
dans le visage. J'ai senti que j'avais le pouls dans le
visage. Quand au juste ? Je ne sais pas. L'idée m'est
venue d'essayer les autres points névralgiques. Qui m'a
frappée au visage ? La joue gauche brûle encore. La
brûlure donne sur un nerf. L'orbite gauche se met à
répondre. Hyatt n'a pas pu me frapper au visage. Pas
lui. J'ai eu une lueur : une fraction de seconde. Le cœur
répond. Un monde frappé d'étonnement. J'ai connu une
stupeur. Ressenti une stupeur terrible. Quand ? Quelque
chose m'a plongée dans un étonnement terrifiant.

J'étais droguée mais je ne dormais pas. Hyatt était
vraiment là. Sentiments ahurissants. Douleurs fer-
vantes. Enfin ! J'ai prononcé le mot : enfin.

Continuer d'écrire des pages et des pages. Recommencer ce jeu d'allumer et d'éteindre ma mémoire.
Hyatt serait revenu : une autre mission à Montréal.
Une suite pour l'autre mission : celle de 1967. Après
l'avoir perdu de vue, j'aurais été mise en sa présence.

Après m'avoir fait cette piqûre, ils m'ont amenée
dans une pièce sans fenêtre. Des souvenirs séparés :
comme des illuminations instantanées. Ils sont là à
vouloir me faire dire pour qui je travaille. Pour moi ! Je
l'ai crié. C'est là que Hyatt m'a frappé sur la joue
gauche.

Prendre plusieurs phrases pour tenter de m'expliquer
cette qualité nouvelle de la douleur physique. Horreur

et révolte. Mais pourquoi avoir dit : enfin. À quelle
pensée avoir répondu : enfin ?

J'en viens à douter de ma propre existence, ici, dans
une chambre du *Alpine* à Sainte-Marguerite. C'est la
fièvre qui monte. Je deviens plus dense. Je noircis. Mon
cœur se vide complètement. Mon for intérieur déserté,
je me mets à reconnaître toute une gravitation de
singularités, de signes distinctifs, de cicatrices.

Ne pas dormir. Rester encore éveillée. Encore un
peu. Savoir ce que je dois faire. Ce que je veux faire.
D'abord retrouver Hyatt. Savoir ce qu'il fait à Montréal
au juste. S'il est allé jusqu'à me frapper à la joue gauche,
c'est que sa mission est d'une importance extrême. À
nous deux Hyatt : je sais que je lui ai crié ça en plein
visage. Ensuite le lit de la rivière du Nord.

Mes vêtements sèchent sur le calorifère. Mes frissons
se calment. Ma température descend. Je veux qu'elle
descende. Je maîtrise ma température. Ce n'était qu'un
bouillon de fièvre. Rien qu'un bouillon. »

52

BRIND'AMOUR :
LE ROMAN PRENDRA TOUT
SON RELIEF AVEC LE TEMPS

Brind'Amour écrivait un roman. Depuis des années elle écrivait un roman : toujours le même. Ses pages, toutes séparées au milieu par une verticale. À droite, le roman, à gauche, différentes lectures qu'elle avait faites de certaines phrases à différentes époques. Son encre changeait de couleur avec les années, son écriture aussi.

Sur l'une de ces phrases : «Hyatt a cherché à tuer Oliphant en 1967» pesait toute une architecture de dénégations de toutes les couleurs, datées de toutes les époques. Oui ou non, elle ne l'a jamais su. Oui et non : c'est la conclusion à laquelle elle en arrivait de temps en temps. Comme si Hyatt avait fait semblant de vouloir tuer Oliphant et de Gaulle. À deux reprises, elle avait échafaudé des théories de simulation. Elle s'était demandé à quoi pouvait rimer cette simulation, ce leurre. «Le geste a été esquissé. Passe de magicien. Hyatt est un illusionniste.»

Elle cherche la vérité dans son roman. Avec les années, la vérité bouge. Rien n'est définitif et elle accumule les lectures de certaines phrases au point qu'on dirait des pôles où des centaines de fils auraient été branchés.

Des mots attirent l'œil : divertissement, diversion, exercice, répétition générale. « Hyatt a été chargé de créer une diversion : faire sauter les deux grands hommes pour créer une diversion. » Elle revient plus tard pour nier cette possibilité extravagante. « La CIA a-t-elle, oui ou non, le sens de la mesure ? »

À lire ce roman d'Alice Brind'Amour, on en viendrait à se dire qu'elle a tenu dans la ville un rôle de premier plan. Elle dit avoir sauvé elle-même son maire bien-aimé. À gauche, entre parenthèses : « (c'est un roman que j'écris, pas un récit. Il reste que les phrases de base sont véridiques.) » La mort du maire était certaine d'après elle. « Tout le monde l'a senti. Montréal l'a senti, tout le Québec l'a senti. Ottawa l'a senti aussi. L'univers l'a senti. »

Quelque chose de théâtral dans le style de son roman. Des questions partout : « Qui a amorcé la bombe creuse de Livernois ? Qui l'a désamorcée ? Moi. En un sens, c'est moi. »

Ce mot, moi, est le pôle d'une terrifiante quantité de fils branchés. « Parce que j'ai su ce qui se passait à un niveau caché, occulte. » « Parce que moi seule pouvais le sauver, les sauver. » « La puissance de l'amour désintéressé. »

Quand elle parle de l'Œil, on dirait que le ton change : « L'Œil se promène sur la terre. Ailleurs aussi. C'est un amorceur de bombes. Toutes les bombes creuses sont susceptibles de devenir habitacles. C'est pourquoi les Livernois et ses pareils sont des êtres dangereux avec leurs inventions de primitifs. Leurs inventions creuses présentent un danger mondial. Il vaudrait mieux pour la sécurité internationale laisser les complots pulluler dans un grand désordre. Les vrais complots sont moins dangereux que le complot unique, monté de toutes pièces. Le faux, par son vide, attire le pire et le danger est d'autant plus imprévisible qu'il est au-delà de l'imagination normale des comploteurs habituels. Le complot unique est proprement inimaginable dans la réalité des événements internationaux. C'est pourquoi l'Œil le guette et cherche à l'investir.

L'Œil serait incapable de cette sorte de complot, de cette sorte d'invention. Il a certainement besoin des Livernois et de ses pareils. Plus un complot est énorme dans son impossibilité (et celui de Livernois était gros dans tous les sens du mot), plus l'amorçage est impossible à éviter. L'Œil est aux aguets : cette sorte de mise en scène le fascine. Les primaires comme Nil Livernois posent les décors, font mûrir les temps. Quand ils en sont à se frotter les mains de contentement, l'Œil entre en scène : c'est tout préparé pour son entrée, pour son jeu sinistre.»

Brind'Amour a produit l'effet Brind'Amour. C'est ce qu'elle en vient à se dire. L'effet bienfaisant sur la terre : l'amour. L'effet désamorçant. Puisque Oliphant n'est pas mort, puisque de Gaulle n'a pas été assassiné, c'est qu'ils ont été sauvés. Et par qui ? Sûrement pas par Livernois : beaucoup trop inconscient pour s'être rendu compte de la subtilité de toute l'affaire.

Elle en vient à raconter, dans ce roman où le dynamisme varie selon les pages, selon la surcharge que portent, à gauche, certaines pages, comment elle a manœuvré Hyatt, comment elle lui a passé de l'information orientée.

«Hyatt savait que je lui donnais de l'information truquée. Il le savait. Avec l'expérience qu'il avait, il ne pouvait pas ne pas le savoir. Moi, je savais que l'information truquée laisse des brûlures où elle passe. Je pouvais suivre à la trace les fausses informations que je lui donnais, même s'il en riait ouvertement. Je mentais presque tout le temps, mais il notait tout quand même. Jamais je n'avais vu quelqu'un prendre autant de notes et écrire si vite sous la dictée. Et subrepticement encore : on aurait pu jurer qu'il n'écrivait pas vraiment, qu'il faisait semblant d'écrire, comme les très jeunes enfants. Moi, je savais qu'il y croyait. Pas à ce que je lui disais. Il croyait que mes mensonges, mes inventions, finiraient par dessiner une carte reconnaissable. Peut-être plus indicatrice que de vraies informations. Il m'a dit tout ça en riant. Depuis qu'il est avec moi à Montréal, il rit presque tout le temps. Il n'avait pas été heureux depuis des années et des années. Il avait cassé miroirs par-dessus miroirs : il était allé de sept ans de malheur en sept ans de malheur.

Un jour, Hyatt m'a dit que mes fausses informations étaient extrêmement importantes. Qu'il l'ait dit en riant ne changeait rien à l'affaire. Une fois, il avait laissé traîner le texte original de son rapport. Le rapport qu'il faisait à sa compagnie : le texte non chiffré. « B. est sûre que l'Œil se fie sur notre initiative pour cette affaire. » Il avait déduit ça, lui ! Je me suis dit, ce matin-là, que je jouais avec le feu en lui donnant mes fausses indications. Il naviguait là-dedans avec un flair de vieux loup de mer. »

D'après Brind'Amour, la CIA ne savait pas qui était l'Œil au juste. Comme si l'Œil n'était repérable qu'après coup. Certains des agents l'appelaient « l'impondérable ». D'autres agents criaient à la pure invention, à la vue de l'esprit.

« Mais si moi, Alice Brind'Amour, avec toute ma candeur, je disais à Hyatt que l'Œil se fiait à la CIA pour l'opération en question, c'est que l'Œil existait et que j'avais une idée de son identité. Je mentais, oui, mais pas tout à fait. Au fond, la visite de de Gaulle à Montréal n'intéressait pas la CIA. Si elle avait envoyé Hyatt à Montréal, c'était pour retracer l'Œil.

Ce milieu de l'information secrète est plein de turbulences et de tempêtes en préparation. Hyatt a dû se demander si une pure invention pouvait ne pas agir et il avait raison de se le demander.»

On voit, ici et là, dans le roman, que Brind'Amour aime Montréal presque autant qu'Oliphant. Aimer la même ville, c'est presque aussi bien que regarder ensemble dans la même direction. Oliphant vieillissait, il prenait un coup de vieux. Elle s'en rendait compte. Son amour pour lui n'avait-il été qu'une invention dans le genre de celle de Livernois? Quand elle restait des semaines sans le voir, quand il revenait de quelque part, éberlué, fatigué, perdu, il désamorçait son image, il désamorçait l'amour de Brind'Amour. Certains soirs, elle avait considéré en pleurant un amour complètement vide, complètement désamorcé.

Elle écrivait pour réamorcer l'amour. Tout ne serait qu'invention primaire? Tout ne serait que bonnes intentions à la Livernois? Son amour pour le maire Oliphant ne serait qu'une grande coquille vide? Ne serait qu'une conque où elle avait écouté les bruits de la mer? Les bruits de Montréal? Les bruits du monde? N'aurait été qu'un creux qui se remplissait ou se vidait selon les heures, les jours, les années, les siècles?

« Secrétaire d'Oliphant toute ma vie. Paysager ma vie ou mourir d'ennui. Mon aventure avec Hyatt était à claire-voie. Il m'aimait d'être ce que j'étais : d'une candeur monstrueuse. Certaines nuits, il en aurait déliré, Hyatt. Ça lui paraissait impossible. Il me demandait de lui dire : je t'aime Hyatt. Tu es mon bien-aimé, Hyatt.» Curieux qu'il voulait que je le répète. Cent fois. Et il n'était pas rassasié. Un assoiffé, un famélique. Voué aux succédanés, aux faux-semblants, aux simulations, aux chiffres et aux grilles.

Il me disait qu'il avait une peau d'hippopotame : presque invulnérable. Sauf que, depuis quelques années, la peau craquait ici et là. La peau épaisse avait des crevasses profondes où la vulnérabilité était terrifiante. Des lignes tendres au fond des entailles où s'infiltraient des goûts d'aimer, d'être aimé, des goûts de candeur et de confiance.

Je sais qu'il jouissait de mes déclarations d'amour. Il m'appelait : she-spy. I love you she-spy. Des mensonges partout. Rien que des mensonges partout.

Quand Oliphant s'éloignait trop, trop souvent, j'en serais arrivée à ne plus savoir que je l'aimais. C'est à force de volonté que j'ai continué de l'aimer. C'est maintenant que je le sais. Quand il revenait défiguré, méconnaissable de ses voyages à l'étranger, je faisais un acte de volonté pur et simple. Je le voyais, mais c'était comme si je ne le voyais pas. Je refusais ce que je voyais. Il disparaissait de ma vue, de ma mémoire visuelle. Ensuite, tout reprenait sa place. Oliphant, son image et mon amour. L'épreuve était passée. C'est difficile d'aimer quelqu'un tout le temps. Quand on le voit trop ou quand on ne le voit pas assez : c'est pareil. On en vient à douter de l'existence de quelqu'un dans les deux cas.

Hyatt, c'était autre chose. Certaines fins de semaine, on vivait collés ensemble. Il disait que j'étais son garde d'âme.

Oliphant, mon bien-aimé. J'accolais toujours : bien-aimé, à tout ce qui le touchait de près ou de loin. « Brind'Amour est une femme de tête, une femme de volonté. » C'est ce qu'il disait de moi chaque fois qu'il me présentait.

Au cœur de la nuit, j'en viens à me dire que mon amour pour lui n'a été qu'une grande maison vide que j'ai traînée sur mon dos. Sur mon cœur. Noël Oliphant dans le cœur ? Noël Oliphant sur le cœur. Je l'aurais eu sur le cœur toutes ces années ? J'aurais eu le cœur aussi vide qu'un trou noir cosmique. Aussi dense aussi : une ancienne étoile qui se serait contractée jusqu'à disparaître. Mon amour étoilé des premiers jours : disparu. La densité est restée. Un cœur vide, mais d'une terrible densité. »

À gauche de ce paragraphe, elle avait nié tout ça, affirmé son amour indélébile, son amour lumineux.

Elle parle quelque part dans son roman d'un portrait-robot de l'Œil qu'elle aurait aperçu dans un dossier de Hyatt. La clé était restée dans la serrure de son porte-documents et pendant qu'il prenait sa douche en chantant à tue-tête, elle avait décidé de jeter un coup d'œil à l'intérieur. « Eye : (Simulation) » D'après le portrait-robot, l'Œil serait grand, bien bâti. La légende donnait comme âge approximatif : 50, comme grandeur : deux mètres, comme poids : cent kilos. Les mains et les pieds disproportionnés : beaucoup trop grands. D'après le portrait-robot, il aurait eu quelque chose du *David* de Michel-Ange. Beau et froid. Une bouche charnue, ourlée. Il aurait été musclé, il aurait eu les reins trop cambrés et le haut du dos un peu voûté. Les yeux bleus foncés : l'un d'eux serait de verre. À gauche de cette description, Brind'Amour, à plusieurs époques de sa vie, a branché des phrases d'amour. « C'est lui que j'aime, que j'ai toujours aimé. » « C'est l'Œil que j'aime, personne d'autre. » « Sadique, terroriste : quel qu'il soit, c'est lui que j'aime. » « Je ne comprends pas l'Œil : ça ne m'empêche pas de l'aimer. »

Plus bas, elle niait cet amour. Elle haïssait l'Œil de toutes ses forces. En rouge, en lettres épaisses : « La

seule aventure de ma vie, c'est avec l'Œil que je l'ai
eue.»

C'est un roman assez ordonné, si on oublie les notes
de la partie gauche de la feuille. Assez linéaire comme
allure. S'il n'y avait pas ces réflexions, venues de toutes
sortes de périodes, montées ici et là, sur une phrase
privilégiée, ce serait un roman lisible. Beaucoup moins
désordonné que le dossier Riverin. Le conseiller se
défendait de vouloir faire un roman du dossier en
question. Il s'en défendait avec véhémence.

Le dossier de Brind'Amour dans sa forme actuelle :
mélodie à droite, harmonie à gauche, donnait une
sensation curieuse. Le désordre de l'affaire n'avait pas
disparu vraiment. Brind'Amour en avait pris possession.
Elle avait imposé la main sur l'affaire. Un ordre s'était
fait, mais un ordre trop dirigé pour que ce ne soit pas
méconnaissable. Une réalité, oui. Par endroits, une
hyperréalité. Justement : une hyperréalité ! Les phrases
sur lesquelles étaient branchées tant de réflexions pos-
térieures prenaient un poids, un dynamisme qu'on se
mettait à sentir physiquement, un peu sous le nombril.
Un centre de gravité. On se mettait à voir dans ce
roman une lisibilité épouvantable. Des paragraphes
entiers faisaient blocs. Les réflexions colorées inscrites
à gauche avaient provoqué une cristallisation certaine.

On se faisait l'œil tout en lisant. On apprenait à lire
la surcharge de gauche en même temps que la phrase-
aimant. On lisait la gauche à grande vitesse de telle
sorte que la ligne du roman se froissait, se plissait.

Brind'Amour avait posé le mot fin à ce roman en
1976, mais elle n'avait cessé depuis de faire, dans
l'espace de gauche, toutes sortes de montages, toutes
sortes d'échafaudages qui changeaient le rythme et
déplaçaient les forces en présence.

53

RIVERIN ENTRE EN POSSESSION DU JOURNAL D'EXIL DE CLAVEL

Riverin ne buvait plus que du lait. Son ulcère menaçait. Il avait conclu une sorte de pacte avec son estomac : quand certaine douleur, à peine sensible, se faisait sentir, il se mettait au lait et aux légumes bouillis.

Encore un saut à Montréal. Genève pouvait attendre. La nièce de Clavel avait reçu un colis et se demandait ce qu'elle devait en faire. En instance de déménagement, elle regardait avec horreur cette boîte sur la table.

Riverin avait tenté de savoir où était Clavel. Peine perdue. Sa nièce n'en savait rien et ne voulait rien en savoir. Elle était sous le choc d'un grand amour et la disparition de son oncle n'avait plus le moindre intérêt pour elle.

Riverin s'était chargé du colis et l'avait ouvert avec de grandes précautions. Au cas où ce serait une bombe. La chance était petite, mais on ne sait jamais.

C'était le journal de Clavel. Son journal d'exil. Riverin n'en était pas revenu.

54

LA VENTE DE TROTTOIR :
LE TRIOMPHE DISCRET DE MÉLUSINE

Laisser les cent clones dans la valise ouverte, juste à droite de la chaise. Presque personne au pied de la croix de la place Ville-Marie. Le ciel est sombre et la pluie menace. Le mal de cœur, le mal de tête, l'angoisse et le manque total d'espoir. Le désespoir, c'est autre chose : c'est mordoré.

Être crevée aujourd'hui. Avoir trop travaillé. Crevée comme un œil crevé. Il paraît que Clavel est entré en communication avec l'Œil en personne. C'est Riverin qui a dit ça à Lassonde au téléphone. Il viendra peut-être, Lassonde : un peu plus tard dans la journée. Peut-être.

Entendre encore sa voix lui dire : peut-être. Pas besoin de lui. Capable de vendre les monstres toute seule. Pas envie de vendre les monstres un par un. Faire des paquets. Deux pour le prix d'un : des jumeaux. Presque des jumeaux, des triplets ou des quintuplets. Refuser de vendre, sauf à l'acheteur ou à l'acheteuse qui les prendra tous les cent. On ne sépare pas des centuplets ! Nés ensemble ou presque ensemble : ils resteront ensemble. On ne les sépare pas.

Tu les laisses dans la valise ? Tu en vois un, tu les vois tous. J'aurais peur de l'effet, d'ailleurs, s'ils étaient étalés. Ils ont des interactions. Le laisser rire à son saoul. Ça fait tant de bien : rire en ces temps de détresse. Le peintre d'à côté a de la grande visite. Il se fend en quinze mille pour faire valoir ses abstractions. Pas tout à fait abstraites mais presque. On dirait des propriétaires de galerie : ils sont en train de lui faire une offre qu'il ne pourra refuser. Il en a des chaleurs, des vapeurs, malgré le temps frais et la pluie qui menace. Ils vont venir chercher dix de ses tableaux un peu plus tard : vendus. Ils lui paient tout ça en billets de cent. Des faux peut-être. Ils ont l'air riche, l'air connaisseur. Les regarder de côté seulement. Une impression de déjà vu. Les tableaux qu'ils ont achetés sont affreux. Mélusine les trouve affreux. Ses clones sont autrement beaux. Le peintre est content : on dirait la gloire qui lui tombe dessus. Écrasé et béat.

Es-tu jalouse, Mélusine ? La jalousie : le monstre vert dont parle Shakespeare et qui d'autre après lui. Ou avant lui.

Savoir qu'on sourit, comme ça, en plein trottoir. Une trouée de soleil. Un rayon frappe le clone du dessus. Ils sont là, les connaisseurs. Ne pas faire d'avances. Les regarder d'un regard horizontal, astronomique.

Le plus grand s'est accroupi, a soulevé le premier, le deuxième, le dixième. Tous pareils ? On peut dire ça, oui. Tous numérotés de un à cent, selon le degré d'excellence. Ils ne sont pas tous pareils alors ? Tous pareils. Les entendre rire en ces temps de détresse. Combien ? On ne sépare pas les centuplets. Les clones se vendent en groupe de cent. Leur efficacité individuelle est centuplée. Quand ils sont cent ensemble, vous pouvez vous rendre compte de l'impact. Une progression géométrique, autrement dit ? Pire : les effets s'ajoutent aux effets qui s'ajoutent aux effets qui s'ajoutent aux effets. Cent dollars. Pour tout le lot ? Jamais ! Plutôt mourir de faim. Cent dollars chacun.

Les avoir regardés partir. Sans rire. La surprise peinte sur le visage, en plaques sclérosées. Entendre le voisin s'exclamer. Il lui reste cinq tableaux à vendre, lui. Il a mis les autres sous la table, un bon isolant entre eux.

Tu devrais les vendre séparément. Tu aurais plus de chance. Quoique... Le voir lever le nez sur le clone du dessus : le numéro cent, le plus intense.

Tu devrais apporter de la variété. Les gens aiment mieux choisir. Tu devrais au moins les étendre. Tu n'as pas de chevalets ? Tu n'as rien apporté ? Je suis venue à pied avec ma valise et ma chaise pliante.

Achetez un portrait de l'Œil, madame. Qui ça, l'Œil ? On dirait un paquet de lignes. Qui ça l'Œil ?

Ne pas répondre. L'Œil c'est l'Œil. L'Œil sur la terre. L'Œil dans le monde. L'Œil sur le monde. Ne rien dire. Sourire. Combien ? Cent madame. Cent pour une horreur. Moi, j'aime les paysages. Achetez-vous un Œil. Pour voir les paysages, rien comme un Œil. Mettez-le au milieu du salon chez vous : tout le reste va être illuminé. Achetez-vous un Œil, Monsieur. Quel Œil ? C'est son nom. J'en ai cent tous numérotés de un à cent. C'est la bouche ça, ici là : la ligne rouge de biais. Le bleu ici là, c'est ça : l'Œil.

Ne pas donner de détails supplémentaires. Achetez-moi mes clones, Madame. Qu'est-ce que c'est, des clones ? Des copies conformes d'un même modèle. L'Œil à votre portée, Monsieur. Achetez-en douze : un effet foudroyant à la douzaine.

C'est Lassonde qui me fait un petit signe : collé au mur en miroir de la banque. Cent dollars, c'est trop cher. Je t'en donne dix. Ne pas rire. Surtout ne pas rire. Leur faire un boniment, à ceux qui regardent.

C'est convulsif comme dessin. Un autre connaisseur ! C'est exsangue. Il reste là à faire le boniment à ma place. Tant pis si ce n'est pas des louanges. Du boniment, c'est du boniment. Dire du maliment serait plus juste. C'est théorisé comme style. Pas de tripes, pas de sang. Qu'est-ce que tu as dans le ventre pour dessiner des choses comme ça ?

Sourire à Lassonde qui lui fait des signes reconnaissables : écriture amoureuse, morse intelligible dans la brume et la poussière de ce trottoir de Montréal.

C'est terrorisé, politisé. Politisé ? Là, elle a sursauté. Politisé ? Où ça, politisé ? De l'avoir appelé l'Œil, c'est assez pour politiser la démarche. C'est physique, terriblement. Je veux dire que ça relève directement des sciences physiques.

L'envie de fermer sa valise. L'envie de rapporter tous les clones à l'appartement : l'Œil à cent exemplaires presque conformes.

Avoir la certitude d'une machination à l'entrée du garage sous-terrain. Du coin de l'œil, voir s'amorcer la marche des connaisseurs.

Le vent est tombé, l'air est plus net. Un client, deux clientes en méditation devant un clone. Trois clones sortis de la valise. Les surveiller.

Cent clones pareils ? Cent dollars chacun ? C'est ça ? Les trois en dehors de la valise ne sont pas vendus non plus ? Non. On achète tout.

Refuser le chèque de dix mille dollars. Un chèque certifié ou rien. Incrédules, ils la regardent, le chèque tendu, la pensée suspendue.

L'impuissance les submerge. Les banques sont ou-
vertes. Un chèque certifié ou rien. Les clones sont tous
dans la valise à l'heure qu'il est.

Un chèque certifié ou de l'argent comptant. Sub-
mergée par l'impuissance elle aussi. Ne pas savoir
pourquoi elle a dit ce qu'elle a dit. Un souffle venu du
creux du ventre. Il va falloir rapporter tous les clones à
l'appartement. Il va falloir souffrir toutes les interactions. Les cent clones serrés dans la valise.

Se sentir mutante et en souffrir. Si peu reptile et pas
capable de voler. Courir pourtant. Pratiquer tous les
jours les gestes préliminaires au vol. De temps en
temps, lever de terre et s'en faire accroire. Se dire que
les mondes sont emboîtés : l'invisible et l'autre. À
moitié visible, à moitié invisible : le monde mal réussi.

Lassonde est là. C'est en soi qu'on parle le plus
directement aux autres. Il crie dans son cœur comme il
crie sur la ville. La place Ville-Marie dans le noir. Un
banc de brume venu du froid passe sur *Altitude 737*.

Les hommes d'affaires sont partis : les connaisseurs.
Le client est parti, les clientes sont parties. Encore un
interprète de son style ? Non. Tout ce qu'il tient à lui
dire, c'est qu'elle a manqué sa chance en refusant le
chèque. Il est peut-être faux. Lui, il aurait pris la
chance : chose certaine. Se dire qu'on ne tient pas à les
vendre, au fond. L'écouter lui poser des questions. On
dirait une interview. Ne pas répondre. L'entendre en
frissonnant parler de la jouissance du dessin : il en serait
à trouver l'Œil de plus en plus beau, malgré ce qu'il
semblait en penser d'abord. L'entendre respirer de plus
en plus vite : la laideur est la réalité la plus pondérable.

Lui dire qu'un clone, c'est l'impondérable en personne. Se taire ensuite. Faire des clins d'œil à Lassonde
qui suit la scène avec détachement. Il a congé aujourd'hui. La relâche.

L'autre est revenu, celui qui lui disait que c'était exsangue. Il charge. C'est convulsif, terrorisé, physique. Pourquoi la matière s'opposerait-elle à l'esprit ? Se taire ensuite. Mélusine, tais-toi.

Les connaisseurs sont revenus, un chèque certifié à la main. Qu'est-ce que vous voulez en faire de mes clones ? Une marque de commerce. Il faut détruire la plaque. Signez ici : vous renoncez à le reproduire.

Se demander ce qui les prend. Signer parce qu'on s'en fout éperdument. Signer Mélusine parce que c'est son nom de pinceau. Lassonde a l'œil plongé dans l'étonnement lui, collé au miroir de la banque. Un mutant Lassonde : un indéniable mutant.

Plus rien à vendre. La chaise pliée entre juste dans la valise. La laisser là. Quelqu'un la trouvera, la prendra, s'en ira avec. Lassonde a étendu les bras devant lui, comme un zombie : les yeux exorbités, le sourire angélique. Entrer entre les deux bras, dans le corridor qui mène à la bouche, au corps : l'intrusion affolante, le désir insupportable.

Garder la peur pour soi : l'assumer. Ne pas la laisser sortir. Ne pas la laisser transparaître. La peur qui fait explosion. Ne pas la transmettre surtout. Surtout ne pas la reproduire. Renoncer. Avoir signé une renonciation.

55

UNE PAGE DU JOURNAL D'EXIL DE CLAVEL

« Des tables autour d'une salle rectangulaire. L'Œil trône au milieu du petit côté. Tous les autres en cagoules blanches. Des cylindres fendus de trois lignes horizontales de différentes largeurs : une pour les yeux, une pour le nez, une pour la bouche. On le reconnaît lui, l'Œil, à une couture rouge sur la moitié droite de la fente du haut. Les points de la couture sont irréguliers et faits de gros fil : on dirait des cicatrices.

Ils m'ont amené dans la salle, les yeux bandés. La lumière est diffuse et je suis assis au milieu du long côté du rectangle : à la droite de l'Œil. Par terre, au milieu des tables, un nœud énorme de fils électriques.

Un silence ahurissant. Une rencontre au sommet où on m'a convié : l'Organisation de l'Œil. Des frissons sur les bras et sur la nuque. Tout le long de la colonne vertébrale où monte et descend une panique que je reconnais. J'ai désiré être mis en la présence de l'Œil. J'y suis. La réclusion que j'ai subie m'a laissé vulnérable. Je reconnais ma panique mais moi, je ne me reconnais pas.

Je me sens brûlé. Comme on dit d'un agent secret qu'il est brûlé.

Je me dis que j'ai vu ce que je ne devais pas voir et que je ne serai plus jamais ce que j'étais. Mon style me fait défaut en présence de l'Œil. Obnubilé.

Le silence mais pas le silence ordinaire. Un silence entendu au haut-parleur. Un silence amplifié. Une respiration que j'entends. J'écris, mais tout ce que j'ai, c'est un mauvais crayon de mine. Les autres écrivent ou n'écrivent pas. Pas un mot encore, mais la tension monte. Sur la respiration lente du début s'ajoute une exaspération qui court. L'amplificateur fait circuler une énergie, un feu qui ne peut être que le sien.

J'écris pour ne pas mourir électrocuté sur ma chaise. »

56

LE TRUC DE LA LETTRE VOLÉE
RECOMMENCE À MARCHER

Riverin n'en était pas revenu. Lassonde aurait voulu tout lire du journal d'exil de Clavel.

« C'est tout ce que j'ai apporté. Tu verras le reste demain. Au plus vite. Car on dirait qu'il est porté à s'effacer. Il avait un mauvais crayon de mine et le papier est comme percé à plusieurs endroits. Ce texte-là, c'était de l'émotion plus que de la parole. Il disparaît du papier. Le papier est comme percé à jour. »

Lassonde le laissait parler. Il s'était mis à marcher dans l'appartement, mais on aurait plutôt dit qu'il volait. Délivré enfin d'une incertitude qui l'avait entravé depuis des années. Gagné par une confiance. Il exultait littéralement.

« Clavel a été suivi à la trace par toutes les sociétés secrètes du monde. Je me suis toujours demandé pourquoi. C'est autre chose que son style, autre chose que ses reportages autour du monde, autre chose qui les intéressait. »

Ce n'était pas l'eurêka d'Archimède, c'était une jubilation longue qui dépassait le moment de la découverte. Enfin la lumière ! Riverin l'avait su depuis 1967. Il l'avait su de quelque façon.

« Une première mondiale, Lassonde. Je n'ai pas monté le dossier pour rien. Histoire de garder les fils en main. Qu'importe la quantité de fils qui ne tenaient à rien. C'est maintenant que je le sais. Il y avait quelque chose à savoir et c'est maintenant que j'en suis sûr. Avant, c'était de la rage, de la hantise, du regret. Avant, j'avais des doutes, Lassonde. J'ai souvent failli renoncer à comprendre ce qui s'était passé lors de la visite de de Gaulle à Montréal. »

Riverin et Lassonde marchaient vers la maison de Riverin, la maison qu'il avait tenu à garder telle quelle durant toute cette année sabbatique. Une femme venait de temps en temps faire le ménage et faire aérer. Rien ne bougeait. Les plantes avaient disparu de son soussol. Il les avait données aux voisins.

En revenant de Genève, il avait tout trouvé en parfait ordre. Tout était d'une propreté impeccable. Tout luisait. On décelait à peine une odeur de renfermé.

Après avoir lu le journal de Clavel, il en avait fait une photocopie, mais la photocopie était à peine lisible. Il en avait mis une page dans sa serviette pour la montrer à Lassonde et s'était mis à chercher une bonne cachette pour l'original. Il avait l'impression d'avoir été suivi.

Où cacher le journal de Clavel ? Le laisser là, comme la lettre volée d'Edgar Pœ ? Tout le monde est au courant et le truc est éventé ? C'est la première chose qu'ils feront : ils regarderont aux endroits les plus ostensibles ? Peut-être pas. Puisque le truc est vieilli et connu.

Riverin avait mis la première page d'un ancien dossier sur le dessus du journal de Clavel et avait entouré le tout d'une bande de papier jaune où il avait griffonné : à ranger dans les archives.

En revenant avec Lassonde, il avait senti une autre odeur : une odeur de cigares. Tout avait été touché, mais imperceptiblement. Seul Riverin, avec sa manie d'ordre, avait décelé des déplacements d'objets. Sur son bureau, le dossier ne semblait pas avoir été touché.

Riverin avait pris le bras de Lassonde mais ni l'un ni l'autre n'avaient pu éviter la rencontre fatidique. Ils étaient deux et l'un des deux, c'était Hyatt. Vieilli, blanchi, mais reconnaissable. L'autre ressemblait à Frankenstein.

« Le journal de Clavel ! Vite. Inutile de résister. We are too fast. »

Riverin lui avait dit de sa voix enluminée qu'il y avait erreur sur la personne. Le rire les avait tous les deux comme désarmés. Hyatt qui semblait le chef de l'expédition s'était laissé aller à rire comme il riait avec Brind'Amour et l'autre le regardait faire, la bouche un peu ouverte et les bras ballants d'impuissance.

Riverin avait poussé Lassonde vers le hall et avait claqué la porte d'entrée. Réfugiés derrière une vieille armoire à pointes de diamants, placée comme un iceberg décoratif, à deux pieds de tous les murs, ils ont cessé de bouger et de respirer.

Hyatt et Frankenstein sont sortis en jurant, l'un en franco-américain, l'autre en slang de New York : l'urgence fait ressortir la parole première mieux que toutes les psychanalyses.

Riverin est allé poser la chaîne, comme si quelque chose pouvait empêcher les agents de revenir. Au moins poser une petite distance entre les poursuivants et les poursuivis.

« Qu'est-ce qu'ils cherchent à savoir qu'ils ne savent pas déjà ? Si Clavel a rencontré l'Œil international, le chef du terrorisme mondial, toutes les agences doivent être au courant de ce qui s'est passé. Normalement...»

« Justement, Lassonde. Clavel a réussi une première mondiale, une première humaine peut-être. Si la chose s'est produite avant, personne ne l'a su, personne ne s'en est rendu compte. Je n'ai pas monté le dossier pour rien. Pour savoir ce que Clavel a réussi, il fallait chercher à le savoir. Comprends-tu, Lassonde, il fallait, pendant toutes ces années, chercher le joint, le joint terrifiant : fabuleusement beau. Les sociétés secrètes cherchent encore à savoir ce qui est arrivé. Elles ont monté des dossiers, elles aussi. Clavel sait maintenant ce qu'il a réussi à faire et moi aussi. Il faut lire le journal. La CIA n'en sait rien encore.»

57

LE JOURNAL D'EXIL DE CLAVEL :
LA RENCONTRE EXPLOSIVE

« Personne ne parlait vraiment à cette rencontre au sommet. Le Conseil supérieur de l'Œil dans les Laurentides !

Des paroles étaient prononcées, mais comme tout le monde avait un micro ouvert tout le temps et que les cylindres cachaient les bouches, on ne savait pas d'où elles venaient. Une sorte d'anonymat amplifié. Tout le monde parlait l'anglais, mais avec une curieuse variété d'accents et d'intonations. Quelque chose de recto-tono étudié, voulu, transparaissait, qui défaisait à mesure la multiplicité : refaisait un champ unitaire.

Un seul haut-parleur-amplificateur d'où sortaient des phrases. Une hystérie se mit à percer de plus en plus.

Je le regardais, lui, au milieu du petit côté. Le plus immobile de tous les cylindres et pourtant, on avait, en le regardant, une impression de vitesse vertigineuse.

Le haut-parleur-amplificateur débitait des phrases incompréhensibles pour moi. Le jargon ressemblait à du latin : langue morte qu'on aurait exhumée pour servir de véhicule à une pensée destructrice. Je ne comprenais pas ce qui se disait. Je prenais des notes et j'étais mal. Consciemment, je ne suivais pas, mais inconsciemment, j'étais amené à comprendre toutes sortes de choses.

Je me suis dit qu'il y avait des paroles subliminales partout. Le spectre de la lumière visible pressé entre les longueurs d'ondes trop longues et les longueurs d'ondes trop courtes. Le spectre du son audible serré entre les ondes trop basses et les ondes trop aiguës.

Force-toi, Clavel. Ne te laisse pas induire en tentation. L'expression m'était venue de mon enfance. L'urgence fait remonter la parole première à la vitesse de la lumière. Force-toi, Clavel. Reste conscient. Je me le disais. Essaie d'être conscient de ce qu'on veut t'imposer par en dessous.

L'hystérie de surface coincée entre les hystéries du dessous et les hystéries du dessus.

J'essayais de savoir quel accent avait l'Œil. Je le fixais, lui, avec son œil cousu de gros fil rouge : signe distinctif. J'ai su qu'il me regardait de son œil gauche. Une fixité m'est apparue, une lueur indubitable.

Le haut-parleur parlait de plus en plus vite et l'accent variait de moins en moins. Il m'a semblé qu'ils n'étaient plus que trois à parler. Une hystérie de plus en plus coupante.

Je ne sais pas de quels mots ils se sont servis, mais j'ai su que j'avais été pesé et trouvé assez pesant. Assez concentré, assez dur, assez compact. L'idée de ces qualificatifs me frappait le tympan mieux qu'une claque.

La convergence sur mon front d'un regard multiple. Je me suis senti marqué. Désormais, j'étais partie intégrante du Conseil de l'Œil.

J'ai crié : non ! Déjà on m'enserrait la tête dans un cylindre blanc. Un sifflement si aigu est sorti de l'amplificateur que j'ai presque perdu connaissance. Ce presque m'a sauvé de la mort. Là, je me suis mis à entendre une voix unique : un anglais d'une grande pureté. « On ne refuse pas de faire partie du Conseil de l'Œil. » J'ai essayé de réitérer mon « non ». Ma voix était d'une indicible vulnérabilité. Inaudible. « Vous travaillez pour nous depuis des années déjà. Sans le savoir. Ou bien le saviez-vous sans vous l'avouer. À l'avenir, vous ne pourrez plus ne pas le savoir. Depuis des années, vous étiez commandé à distance. En quelque sorte, Monsieur Clavel. De plus en plus vous vous commandiez vous-même. Le Conseil de l'Œil considère que vous avez bien mérité de l'Organisation. Vous êtes désormais complètement auto-commandé. »

J'ai voulu crier que j'avais toujours lutté contre l'Œil, que je m'étais toujours révolté contre le mépris qu'il infligeait au monde. Ma voix n'était plus que soupir amplifié.

« On lutte en vain contre l'Œil. C'est à l'Œil que vous avez toujours obéi. Tous vos gestes, même vos révoltes les plus sincères étaient utiles et utilisées. Le poids de toutes vos phrases était porté au crédit de l'Œil, finalement. »

Force-toi Clavel. Tu as voulu entrer en contact avec l'Œil. Ne te laisse pas convaincre. Force-toi Clavel. Résiste à la tentation. La parole première répond à l'appel d'urgence.

« L'Œil vous a choisi. Inutile de vous révolter. La révolte est inutile. La plupart de ceux qui travaillent pour l'Œil n'en savent jamais rien. Seuls quelques-uns accèdent à la connaissance. Vous avez été choisi parce que vous avez bien travaillé. Vous ne resterez pas dans l'ignorance et la fascination comme les autres. »

Chaque fois que le mot Œil sortait de l'amplificateur, je vibrais, je tremblais, mais je tendais toute mon énergie pour nier l'adhérence, l'adhésion. Une force me tirait, que je niais, à défaut de pouvoir la contrer. Je sentais une captation. J'allais perdre ma faculté de nier. Je niais sans plus croire à ma négation. Je niais en paroles seulement, mais je continuais de nier. En paroles intérieures de plus en plus fragiles.

Avec tout ce que j'avais de l'énergie qui me venait de la parole première, je cherchais à me débrancher de ce nœud inextricable de forces intenses qui me tenait.

Il me semblait que le haut-parleur ne faisait plus que siffler et hurler : un vent de phrases trop rapides, prises dans une spirale qui tournait de plus en plus vite.

J'avais dû m'écrouler. Je me suis retrouvé dans une chambre fastueuse séparée par un mur de verre d'un jardin plein de fleurs exotiques et de plantes carnivores. Je les reconnaissais. Longtemps je m'étais adonné à l'étude des plantes.

Une baignoire dans la salle d'eau qui tenait du bain romain. Dans des bouteilles immenses, signées Lalique, des breuvages de toutes les couleurs, de toutes les densités. Des nourritures d'un raffinement rare, excentrique. Après mon enfermement dans une cave noire aux noix et à l'eau minérale, je ne portais plus les mets extravagants. Ni les boissons élaborées. Je levais le cœur et je rejetais tout.

On m'avait laissé des feuilles pour écrire. On m'avait même rapporté ce que j'avais écrit à la table du Conseil. Puisque tout ce que je faisais pesait dans le plateau de l'Œil, pourquoi ne pas me laisser écrire tout ce que je voulais. L'Œil me l'avait dit : j'étais complètement auto-commandé.

Pourtant, quand j'ai tenté d'écrire avec la plume en or qu'ils avaient placée sur le bureau, je n'arrivais pas à écrire ce que je voulais écrire. Je le sentais. J'étais induit à tracer des mots en un jargon qui ressemblait au leur et entre les lignes de mon texte s'inscrivait autre chose qui me serrait la gorge et les tempes.

Les portes de verre étaient fermées. Aucune serrure nulle part. À croire qu'elles avaient été scellées. De fausses portes. On ne pouvait accéder au jardin que de l'extérieur : je me l'étais dit.

La plume en or posée près des merveilles de Lalique, j'ai repris le petit crayon de mine et je me suis forcé à écrire mot à mot des phrases courtes, essentielles. Des exhortations en quelque sorte.

Écrire encore une fois ce que j'avais vu et entendu au Conseil de l'Œil. Je l'avais vu, lui. J'avais vu son cylindre blanc : la fente de son œil droit cousue de gros fil rouge.

Une déception. Rien que ça. Ma déception n'était pas amère. Trop totale pour être amère. Une déception qui touchait à l'incrédulité. C'était ça, la puissance que j'avais sentie dans le monde : en action partout. Agissante, destructrice, provocatrice. Une puissance. C'était le mot qui m'avait fasciné en ces années d'impuissance. En cette dernière moitié de siècle où l'impuissance nous terrasse, où on est auto-commandés par une impuissance toute-puissante, l'idée d'une puissance nous repose, nous réveille d'entre les impuissants. Enfin une puissance qui sait tenir en respect la nouvelle matière. Je ne savais pas au juste pourquoi l'Œil me fascinait. C'était aussi autre chose que l'idée d'une puissance efficace. Il entrait une stupeur dans ma fascination. « Il n'est pas regardant. » On se le disait, au cœur des pires catastrophes : naturelles ou non. L'Œil n'est pas regardant à la dépense, au gaspillage.

De le voir là, au milieu de ce qui semblait être la table d'honneur du Conseil, m'avait déçu. C'est lui : rien que ça.

Je n'ai rien mangé, rien bu. Des hauts-le-cœur me sauvent à mesure.

Assis en lotus en face des portes de verre, en face de ce drôle de jardin qui ressemblait à une serre immense, j'ai vu la lune monter. J'ai vu la lune déformée qui montait entre les branches d'un arbre aux feuilles velues. J'ai vu clairement une bombe qu'on amorçait sur le parcours du maire Oliphant et du général de Gaulle : 1967, Montréal, l'exposition universelle.

J'ai vu quelque chose amorcer la bombe. Pas vraiment quelqu'un : une silhouette informe, impossible à identifier. La bombe allait exploser. Aucun doute possible. J'en ai eu la certitude. J'ai entendu le fin mécanisme de détonation électronique : à peine audible et je l'entendais clairement. Je l'avais dans l'oreille, dans toute la tête : indubitable.

C'est là que je me suis pris la tête à deux mains : délibérément. En me fermant la bouche et le nez. En me bouchant les oreilles pour empêcher le bruit de sortir. Je me suis assommé juste à temps sur les immenses portes de verre. De toutes mes forces. De toute mon énergie, j'avais plongé sur le verre incassable.

Une détonation jusqu'à la calotte crânienne. Un tremblement et comme une fracture au-dessus de l'œil gauche. Du sang chaud sur la joue. Un flot rouge sur le tapis jaune or.

J'avais, en 1979, réussi à détraquer la bombe de 1967. Des anti-électrons en provenance du futur, en provenance d'une volonté de détruire le mal, d'une intention avouée de brouiller la fascination du mal avaient empêché la bombe d'exploser.

Ma volonté a remonté le temps. J'ai réussi à contrer l'Organisation de l'Œil.

Ils l'ont su. Toutes les sociétés secrètes se sont rendu compte de l'escamotage inexplicable qui avait eu lieu. Depuis ce jour de 1967, ils me suivent à la trace. Ils suivent l'Œil à la trace aussi : de quelque façon, ils m'identifiaient à l'Organisation de l'Œil. Les agents secrets m'identifiaient tous avec l'Œil.

Tout le monde voulait savoir ce que je ne savais pas moi-même. »

58

L'ARCHÉOPTÉRYX A OPÉRÉ LE PASSAGE D'UN MONDE À L'AUTRE

Lassonde est resté longtemps dans cette chambre close qu'est devenue la chambre de Mélusine. Plus rien sur les murs blancs, plus de tapis. Un lit, une commode, une table, deux chaises. Un store blanc d'une épaisseur peu commune, d'une largeur et d'une longueur exagérées. À l'aube, on voit le rectangle pâlir sous le store : blanc sur blanc, coquille d'œuf sur gris, rose sur blanc cassé de pêche.

Lassonde est parti quand le rose est passé au jaune cassé de beige. Avoir longtemps parlé du *Journal* de Clavel. En avoir lu des pages et des pages ensemble.

Que la chose ait été seulement possible et on se sent des ailes. Se sentir si peu reptile et pourtant incapable de voler encore. Comme l'archéoptéryx. Ce n'était plus un reptile et pas tellement un oiseau.

Se sentir les ailes battre rien qu'à y penser. La jouissance des êtres de transition. Toujours sur le point de voler. Réussir de temps en temps. Savoir de temps en temps que c'est possible. Clavel a réussi. C'est douze ans plus tard qu'il l'a su. Riverin est aux oiseaux : on peut dire ça. Lassonde est ému.

Il a accepté le dossier sans trop savoir pourquoi. Une urgence quelque part à la naissance des ailes.

Se lever, tirer les couvertures, prendre une douche raide : très chaude et très froide ensuite. Faire des vocalises, des jubilius, des exercices de respiration, des exercices de décollage. S'installer avec un immense carton en face de la fenêtre qui donne sur un arbre dénudé et faire un archéoptéryx. Le faire de mémoire, mais se laisser guider par le dessin qui sera fait dans quelques heures. Tout fait dans quelques heures. Se rendre à midi en pensée. Le tableau est fini à midi. Ne pas fermer les yeux. Sur le carton blanc par terre, faire de la décalcomanie. Travailler vite, sans appuyer. Se mettre à voir clairement l'oiseau, le presque-oiseau. Se mettre à voir ses yeux, à les reproduire. Se mettre à voir ses ailes immenses : ses ailes démesurées. Trop grandes, Mélusine ! Les ailes ne s'arrêtent pas au carton : elles dépassent sur le plancher. Continue Mélusine. C'est un manque de mesure, mais continue. Des griffes au bout des ailes. Une queue à n'en plus finir : anneaux et plumes. Une tête de reptile mais des yeux d'oiseaux. Sentir qu'il peut voler. Le passage est fait. Le passage vient d'être fait.

Rire, chanter Eurêka, chanter Alléluia en faisant de longs jubilius. Les ailes de plumes sur le plancher de chaque côté du carton. L'air exalté de la tête qui souffre de la démesure des ailes.

Rester là à penser. Le soleil colore encore les lignes colorées du dessin. Se mettre à mieux voir, se mettre à voir autre chose. Faire passer des lignes du futur au présent. Avoir vu venir des lignes de toutes les couleurs. Avoir senti passer les heures comme des fractions de secondes. Avoir su que la nuit venait. Avoir dormi là, mais sans dormir vraiment. Plongée dans un éveil qui tient du vol et de l'illumination.

Le soleil cru se lève dans la fenêtre sans store. Le store est resté levé. Le dessin tient de la merveille. L'archéoptéryx. Celui qui a réussi à opérer le passage.

Savoir qu'il est tard. Savoir qu'il va neiger. Le temps s'est couvert. S'être mise à graver l'oiseau sur la plaque, avec une vitesse jamais expérimentée. Cours Mélusine, cours. Si tu veux voler, il faut courir, prendre de la vitesse. Une virtuosité dans les mains qui tient de la magie, qui tient de l'enlèvement. La plaque est faite. Préparer les encres. Cent gravures. Cent oiseaux : cent archéoptéryx tous pareils, à peu de chose près.

Travailler toute la nuit. N'avoir pas mangé. N'avoir pas bu. La bouche sèche, le cœur gonflé, de l'envol dans tout le corps. Un autre jour sur le monde.

Les oiseaux mis à sécher partout dans l'appartement.

Sortir. Marcher vite. Ne plus sentir son poids. Dégagée de l'attraction de la terre. Il neige, mais le soleil perce au-dessus de la croix de la place Ville-Marie. Combien de kilomètres jusqu'à l'appartement de Lassonde ? Bien-être et nausée. Le ventre creux. Sillons gravés. Se sentir prête pour l'impression. La neige lumineuse. Chanter en douce, en pleine rue. Eurêka. Alléluia. Un jubilius qui n'en finit plus.

59

LE JOURNAL DE L'ARCHÉOPTÉRYX

« Janelle était là devant moi. Jésuite fervent, il s'était déconverti à la suite d'un défi qu'il avait lancé au ciel et que le ciel n'avait pas relevé. « Que le ciel qui poudroie, l'herbe qui verdoie. » Sous son cylindre blanc, il avait été méconnaissable. À certains moments, il m'avait semblé que le grain de sa voix ne m'était pas étranger. L'accent qu'il avait en anglais avait brouillé mes souvenirs.

Janelle avait fait partie du Conseil de l'Œil depuis sa désillusion. C'est ce qu'il me disait en me lavant la blessure que je m'étais faite au-dessus de l'œil gauche. La tache du tapis avait fini par disparaître : il avait fallu frotter longtemps, insister.

La voix de Janelle d'une douceur que je ne lui connaissais pas. Il parlait de cent choses, mais plus il parlait, plus le disparate de ce qu'il disait se mettait à prendre un air reconnaissable. La diversité s'alignait. En l'écoutant, je m'étais dit qu'une seule chose lui tenait à cœur. Son choix de mots en faisait la preuve. Toutes ces années à se vouloir athée, toutes ces années à faire cent métiers, cent misères, cent malfaçons, et il était là, en face de moi, à me dire en rougissant de plaisir : « On peut être sauvé en vertu de mérites futurs, Clavel ! »

Il attendait une réponse à ce qui m'avait pourtant paru une affirmation. Je n'avais rien dit. Il avait accepté d'envoyer mon journal à ma nièce. Sans hésitation. Il était auto-commandé lui aussi.

L'Œil avait des vues sur moi. Pour le moment, moi, je ne pouvais bouger de cette chambre fastueuse. Janelle était ému comme il ne l'avait plus été depuis son adolescence. La pièce était pleine d'oreilles électroniques et il nous fallait parler à voix rentrée.

Mon journal sous sa chemise, il avait continué à parler. De temps en temps, il s'arrêtait et me posait des questions sur des phrases précises que j'avais écrites dans mes reportages ou ailleurs.

« Dans l'un de tes reportages de l'exposition universelle de Montréal, en 1967, tu as écrit tel quel : "Le général de Gaulle et Oliphant feront sans doute un tour mémorable sur le Chemin du Roy. Leurs ennemis s'acharnent inutilement. De l'avenir nous arrivent des images sans bavures portées par des anti-électrons salvateurs." »

Moi, Clavel, j'avais écrit ça ! Je l'avais oublié. Un peu d'humour, à ce moment-là, ce n'était que ça : de l'humour. On ne peut pas retenir tout ce qu'on écrit. On ne peut pas savoir tous les sens de tout ce qu'on écrit. Il faudrait peut-être tout relire de temps en temps pour savoir les lieux de passage du futur vers le présent.

En entendant Janelle me réciter mes phrases, je me suis souvenu de reproches qu'on m'avait faits en haut-lieu à propos de ces phrases futuristes. Oliphant les avait trouvées inconvenantes. Déjà, le message m'était parvenu de leur salut in extremis. Mais je ne savais pas que c'est moi qui opérerais le salut d'un temps à l'autre : le passage de 1979 à 1967.

Je finis ici. Janelle emporte aussi cette dernière page avec lui. Il portera le tout à ma nièce. Il refuse de le poster : trop risqué. »

60

RIVERIN ET L'INCOMPRÉHENSIBLE EMBOUTEILLAGE

Riverin n'avait pas pris l'avion pour la France. Pris dans un embouteillage incompréhensible, il était arrivé à Mirabel avec une demi-heure de retard.

«Incompréhensible, Lassonde. Incompréhensible, cet embouteillage. Comme un fait exprès. Tu as lu le journal de Clavel en entier?»

«J'en ai assez lu pour connaître ses prétentions.»

«Comment ça, ses prétentions? La bombe avait été amorcée et ils ne sont pas morts, ni l'un ni l'autre, sur le Chemin du Roy. Ça se défend, ce qu'il prétend. Moi, ça me réjouit. Ça me sauve. La phrase de Janelle a fini de me convaincre que ce que dit Clavel est vrai: on peut être sauvé en vertu de mérites futurs. Les anti-électrons voyagent à rebours: du futur vers le passé, c'est scientifiquement vrai.»

«Tu reprends le dossier, Riverin?»

«Je l'ai feuilleté pendant que tu prenais ta douche.

Ça ne m'intéresse plus. Pour moi, ce n'est plus que repentirs plus ou moins brûlés, plus ou moins percés à jour. J'ai su ce que je voulais savoir. C'est assez. As-tu lu le reportage de Clavel dans *La Nouvelle Presse ?*»

«C'est un reportage de 1967. Drôle d'idée !»

«Mon beau-frère, Constant Desruisseaux, a finalement décidé de publier d'anciens reportages en attendant que Clavel recommence à en écrire de nouveaux. Il fera un choix : juste avant la visite de de Gaulle. Pour moi, c'est concluant. Je me suis torturé longtemps pour savoir qui les avait sauvés d'une mort que je considérais comme certaine. J'avais pourtant lu le reportage à ce moment-là. C'est l'ironie de Clavel qui m'a trompé. Il a fallu que je sois aveuglé, c'était écrit en toutes lettres : "De l'avenir nous arrivent des images sans bavures, portées par des anti-électrons salvateurs." Toutes ces années, Lassonde, c'est cette phrase-là que j'ai cherchée. Cette idée-là. Ça valait la peine. Je me sens sauvé.»

«Tout ce temps pour monter ce dossier. Toutes ces années à chercher. Et tu avais la réponse dans les yeux, dans le fond de la mémoire. La réponse en toutes lettres.»

«Il y a des nuits où j'ai été sauvé du suicide et de toutes sortes de malheurs par ce que je sais aujourd'hui. Par ce que je viens de comprendre. Je me suis sauvé toute ma vie, je pense : en vertu d'une certitude venue de l'avenir. Venue d'aujourd'hui, 30 novembre 1979.»

«Tu sais où est Clavel ?»

«Avec Janelle. Sa nièce les a vus tous les deux. Ils font équipe.»

«Deux contre le mal organisé ?»

«Le futur est avec eux.»

Riverin buvait son lait par acquit de conscience.

« Tu partiras pour la France par le prochain avion, je suppose ? »

« Non. Je me sens bien à Montréal. Complètement recyclé. »

« Qu'est-ce qu'on fait du dossier ? »

« On le garde. On ne sait jamais. Des anti-électrons venus de l'avenir peuvent changer encore beaucoup de choses à ce qui s'est passé. »

« Des phrases peuvent venir s'inscrire là, venues de très loin dans le temps et l'espace. Des sens peuvent venir percer des sens anciens. »

J'avais mis de l'ironie dans mon ton, mais Riverin avait appris quelque chose de son aveuglement de 1967. Il me prit au mot.

« Vrai ! Tu as raison, Lassonde. C'est un réconfort pour l'esprit d'être capable d'y penser sans que la tête nous tourne. »

61

BRIND'AMOUR EST AU COURANT DE TOUT COMME D'HABITUDE

Elle a inventé son propre service secret. Elle a senti le besoin de contrer elle-même Hyatt et sa Compagnie. En relisant l'ancien reportage de Clavel, il paraît qu'elle s'est mise à comprendre toutes sortes de choses, elle aussi. Elle dit qu'elle a toujours su que les forces psychiques étaient plus fortes que les puissances matérielles.

Elle prophétise tant qu'elle peut. Elle se rend en quelque sorte dans le futur, et de là, elle agit sur le présent. Elle dit que c'est Clavel qui l'a sauvée. Elle ajoute, tout bas : de l'inconscience. Les catastrophes qui battent à l'horizon doivent être désamorcées là où elles sont : à l'horizon.

Il faut y aller, dans le futur, avant qu'il soit trop tard et qu'elles s'abattent sur le présent. Elle dit que de se voir régulièrement de l'avenir lui enlevait sa nervosité, son inquiétude et son angoisse. Se voir de l'horizon la convainc de son importance. Les messages qui lui

viennent du futur sont bons. Ils désamorcent les infé-
riorités qu'elle pouvait ressentir en face des forces
primitives qui s'élèvent par moments, comme une nuée
de corbeaux.

Elle dit, dans cette page de journal, que vue du futur,
elle n'est pas seule dans le présent. Personne n'est seul,
vu du futur. Ça vaut la peine d'y aller pour voir ça.
Brind'Amour ajoute que le chef Livernois n'a pas suivi
l'événement Clavel. Oliphant non plus. Ils sont restés
sur leur inconscience. En finissant, elle dit qu'il va
falloir qu'elle sauve son maire bien-aimé tel quel : tel
qu'en lui-même le futur ne l'a pas changé.